ESPAÑOL

material para el hispano

(TEXT AND WORKBOOK)

Spanish for native speakers

Second Edition

Fidel de León
El Paso Community College

Nuevos Horizontes Publishing Co.
Texas

ESPAÑOL: MATERIAL PARA EL HISPANO
Spanish for native speakers

ISBN 0-9654848-0-7

BIBLIOGRAFIA

Algunas de las lecturas aparecieron originalmente en inglés. Fueron traducidas al español e imprimidas con permiso del periódico o la revista donde se publicaron.

Almond, Steve. "Mexican vaqueros gain new ground as historians tell how they mastered range." El Paso Times [El Paso, TX], Sunday, September 23, 1990, p. 7F.

"Bilingual backlash threatens employers with suits." The Sunday Express News [San Antonio, Texas], May 20, 1990, p. 18A.

Carroll, Nicole. "The great car theft contest." El Paso Times [El Paso, TX], Sunday, March 22, 1992, Section F, p. 1.

Della Cava R., Marco. "Cellular phones can be a pain." Gannett News Service. Traducido de El Paso Times [El Paso, TX], Thursday, September 20, 1990, Sect. D, p. 1.

Ivey, Ed. "Life Is Not Worth Much These Days, Says the Police." El Paso Times [El Paso, TX], August 11, 1991, p. 1.

Igual, Isabel. "Encuesta: Siendo un caballero". Activa, Año XV, No. 20, p. 25. Incluido con autorización de la revista Activa.

Leal, Catalina. "Haz rendir tu tiempo." Activa, Año XV, No. 20, pp. 48-9. Incluido con autorización de la revista Activa.

Olvera, Joe. "Spanish is a lovely tongue --whatever form it takes." El Paso Times [El Paso, TX], Oct. 10, 1990, Sect. 3, p.3.

Salazar, Sally. "Real Ruben Salazar ***has been lost somewhere in martyr's legend." Hispanic Link. Traducido de El Paso Times [El Paso, TX], Sunday September, 30, 1990, p. 4G***

"Signs alert immigrants to dangers of desert crossing." Gannett News Service. Traducido de El Paso Times [El Paso, TX], Saturday, June 9, 1990, "Opinion", p. 2.

INTRODUCTION

Español: material para el hispano is a beginning and intermediate text-workbook designed for the Hispanic bilingual students. It is intended to be used as a text to teach Spanish as a first language, not as a second language. Español... ignores the grammatical aspects needed to teach the non-Spanish speakers and instead focuses on those needed by the Hispanic students. The goal is to increase their proficiency in the Spanish language. In order to accomplish such a goal, Español: material para el hispano takes into consideration the language skills that the bilingual student brings into the classroom and develop them through reading, writing, discussions, and vocabulary development. The text includes the following material.

I. Introduction to Spanish.
Includes the Spanish alphabet, the syllable, stress, dipthongs, spelling, and vocabulary. The vocabulary examines the sounds of English and Spanish, cognates, false cognates, slang and the gender of nouns. This section does not propose to denigrate the language of the students but to expand the communication skills and to correct the spelling.

II. Readings.
The readings incorporate current topics that facilitate reading comprehension. Each reading is accompanied by:
Vocabulary. Lists of words to augment the students' vocabulary.
Questions. Examine the students' reading comprehension.
Opinión or Ejercicio. Allows the students to express themselves in Spanish by writing at least a paragraph.

III. Verb Tenses.
The text includes all the verb tenses emphasizing the irregular verbs.

IV. Spelling.
Includes the most common Spanish spelling rules.

V. Written Accent.
Includes the rules of the written accent.

VI. Writing.
This section includes the parts of speech. It also discusses the sentence, phrases, punctuation rules and writing strategies.

Fidel de León
El Paso, TX
Otoño, 2003

CONTENIDO

TERCERA SECCION: EL ACENTO ORTOGRAFICO

CUARTA SECCION: LOS TIEMPOS VERBALES, SEGUNDA PARTE

QUINTA SECCION: LA ORTOGRAFIA

SEXTA SECCION: LA ESCRITURA Y LA PUNTUACION

CAPITULO 1

El alfabeto
Los signos de puntuación
Los sonidos
Ortografía miscelánea
Los números cardinales
Lecturas

Anuncios

1. Se solicita nodriza para cuidar dos niños de 2 y 4 años. Es necesario que se quede en casa de lunes a viernes. Sábados y domingos libres. Cartas de recomendación necesarias. Buen salario. Favor de solicitar en persona. Francisco Villa 534 Sur.

2. Despacho de abogados "Juárez". ¿Busca seriedad, honestidad y responsabilidad en la resolución de sus problemas legales? Divorcios, amparos, intestados, desahucios, cheques, etc. Háblenos. Concerte cita llamando al 16-91-82. Lo atenderemos como usted se merece.

3. Se venden dos últimos cachorritos pastor alemán. Legítimos. Color miel. Rabo cortado. Cinco semanas. Padres a la vista. 50 dólares. Niños Héroes número 1876.

4. En fraccionamiento "La Cuesta" preciosa casa de 4 recámaras, dos baños. Construcción de ladrillo, aire y calefacción, tanque estacionario. Tel. 34-56-18.

5. Rento a caballero solvente y honorable precioso departamento amueblado de dos recámaras con todos los servicios, incluyendo calefacción y aire acondicionado. Tel. 46-15-37.

6. Se necesitan diez personas, hombres y mujeres, para llenar igual número de plazas debido a la expansión de la compañía. Salario y beneficios magníficos para aquellas personas que llenen los requisitos. No es necesario tener experiencia; nosotros le entrenamos. Los que soliciten deberán estar dispuestos a empezar a trabajar inmediatamente. Las diez plazas incluyen dos puestos de gerentes. Comuníquese al teléfono 36-46-73.

7. Se vende cama matrimonial, cabecera, dos burós, tocador y cómoda. Cada mueble en buena condición y barato. Llame al teléfono 46-86-74.

8. Se vende ropa nueva y fina para hombre. Marcas reconocidas. Tenemos trajes, gabardinas, abrigos de invierno, calcetines y ropa interior. Vendemos para todas las estaciones del año: primavera, verano, otoño e invierno.

9. Vendemos botas de diferentes cueros: víbora, avestruz, oso hormiguero, elefante, etc. Vendemos al mayoreo y al menudeo a muy buenos precios. Llame al teléfono 43-28-59 o pase por la Avenida Flores Magón 917 Ote.

10. ¿Su carro necesita anillos, humea, moja bujías, gasta aceite? ¿Necesita alineación, afinación, frenos, amortiguadores, etc.? No lo descuide. Tráigalo para que se lo arreglemos y se lo dejemos como nuevo. Precios justos. Cobramos en pesos, no en dólares. Taller mecánico "Juárez". Avenida López Mateos 457 Pte.

Ejercicio A. Llene el espacio en blanco con una de las palabras de la siguiente lista. Puede cambiar el género o número.

afinación	camioneta	gerente	pavimento
alineación	carrera	gratificar	plaza
amortiguador	cómoda	intestado	primavera
amparo	concertar	invierno	Pte.
avestruz	contabilidad	mayoreo	rabo
bujías	desahucio	menudeo	solvente
buró	entrenar	nodriza	taller
cabecera	fosa	Ote.	tocador
cachorrito	frenos	otoño	verano
calefacción	gabardina	parientes	

1. Busco una ___________ para que cuide a mis hijos.

2. Mi coche anda muy mal mecánicamente. Necesita una _______________.

3. Han abierto una tienda, y buscan ___________________ para ventas.

4. Extravié mi billetera. Voy a ___________ a la persona que me la entregue.

5. El gobierno se quedó con el dinero de mi abuelo pues murió __________________.

6. No está en la cárcel porque el abogado le consiguió un ______________________

7. Para estar tan pequeñito, el perrito tiene un ____________ muy largo.

8. Busco un socio _______________ no un pobretón.

9. Hace mucho frío. ¿Por qué no encendemos la _______________?

10. Aquí solamente estoy yo, pero en mi país tengo muchos ______________.

11. Las estaciones del año son ____.

12. Las botas de _______________ aunque caras, son muy populares.

13. En esta tienda, te venden al ________________ y al ________________________.

14. Voy a mi clase de ________________________.

15. Cuando conduzco el coche, se carga hacia la izquierda. Necesita una _______________.

16. Al coche le fallaron los ______________ y tuve un accidente.

17. Cuando lo manejo, mi coche se mece mucho. Le faltan ______________________.

18. Soy mecánico. Mi _______________ está en la calle Zaragoza 217 Nte.

19. Cree que el espejo del ___________________ está roto.

20. La tienda está por la Avenida Madero pero no sé si la dirección es ________ o ________.

21. La perra acaba de parir. Ha tenido cinco _______________________.

22. Al príncipe lo enterrarán en esa _______________.

23. Estoy buscando trabajo en la escuela como profesor. Ojalá me ofrezcan una _________.

24. La medicina está en el cajón del ____________________ al lado de la cama.

25. En esta _________________ pongo mi ropa.

26. Yo deseo estudiar una _______________ que pague bien.

27. Hace viento y está lluvioso. Me voy a poner la ____________________________.

Ejercicio B. Traduzca al español.

1. headboard ___________________
2. nightstand ___________________
3. dresser ______________________
4. chest of drawers ________________
5. truck or pick-up ________________
6. spark plugs____________________
7. host _________________________
8. anteater ______________________
9. eviction ______________________
10. wholesale _____________________
11. retail ______________________
12. ostrich ______________________
13. manager _____________________
14. to reward _____________________
15. east _________________________
16. west ________________________
17. heating _______________________
18. baby sitter ____________________
19. hostess ____________________
20. lawyer's office _____________

Ejercicio D. Para escribir.

1. Solicite el empleo de nodriza.
2. Escríbale a los abogados. Invente un problema, explíquelo, y concerte una cita.
3. Escriba un anuncio vendiendo algún artículo.
4. Escriba un anuncio solicitando sirvienta.

Anuncios sentimentales

1. Señor de cuarenta y cinco años con buen trabajo y seguro desea relacionarse con señora o señorita de treinta a treinta y cinco años para casarse en corto plazo habiendo entendimiento. Por favor escribir a esta sección.

2. Deseo encontrar amistad con caballeros de veinte a treinta años de edad que les guste divertirse como a mí y que amen el baile. Yo soy Sagitario. Tengo veinte y dos años. Escríbanme. Estoy segura que en mí encontrarán una amiga sincera e incorregiblemente alegre. Favor de enviar fotografía. Favor de escribir a esta sección.

3. Soy alta, delgada, morena, alegre. Deseo conocer a caballero de cincuenta a cincuenta y cinco años; sin problemas morales ni económicos; méxico-americano, pensionado por el gobierno de los Estados Unidos; que sea sencillo, sin vicios, alegre; que le guste la música y el baile. Más detalles escribiendo a esta sección.

4. Caballero méxico-americano de sesenta años, viudo, jubilado, sin compromisos, de buena salud, sin problemas económicos. Busco dama responsable y honesta de 25-40 años que le guste el hogar y todo lo bueno que yo le pueda ofrecer. Si tienes un niño no es problema. Nada más que seas hogareña. Si te gustaría ser mi compañera contéstame a esta sección.

5. Soy un caballero soltero, romántico, sencillo, sincero, profesionista, de treinta años de edad, sin vicios ni problemas económicos. Si tú eres una damita de 18 a 35 años y si te interesa llevar una bonita amistad conmigo, te invito a que me escribas para intercambiar correspondencia y brindarte mi amistad. Escríbeme a esta sección. Estaré esperando tu carta.

Ejercicio A. Llene el espacio en blanco con una de las palabras de los anuncios. Puede cambiar el género y número si es necesario.

1. Yo nací en Estados Unidos. Mis padres son mexicanos. Aunque soy norteamericano, también me considero ___________________.

2. Ella nunca se ha casado. Es ______________________.

3. Me gusta trabajar en casa. Yo soy muy ______________________.

4. Mi esposo murió el año pasado; soy __________________.

5. Yo no tomo, ni fumo; es decir, yo no tengo ninguno de esos dos ________________.

Ejercicio B. Empareje cada palabra con su sinónimo.

1.	_______ Pasarla bien		A.	Tez
2.	_______ Querer		B.	Fotografía
3.	_______ Tiempo		C.	Plazo
4.	_______ Retrato		D.	Dama
5.	_______ Flaco		E.	Divertirse
6.	_______ Información		F.	Hogar
7.	_______ Casa		G.	Amar
8.	_______ Complexión		H.	Detalles
9.	_______ Limpia		I.	Delgado
10.	_______ Mujer		J.	Pulcra

Ejercicio A. Haga una oración con cada una de las las palabras de la siguiente lista. Puede cambiar el género y número de la palabra si lo desea.

plazo ____

enviar ____

viudo ____

jubilado ____

pensionado ____

vicio ____

detalle ____

compromiso ____

hogareña ____

caballero ____

dama ____

Ejercicio

1. Conteste uno de los anuncios.
2. Usted busca una relación y ha decidido escribir un anuncio sentimental para mandarlo al periódico.
3. En un párrafo, explique las razones por las cuales usted cree que las personas escriben a los periódicos buscando una relación. ¿Qué piensa usted de esta práctica?
4. Diga cuál es su signo del Zodiaco y escriba qué es lo que dice. También escriba si está o no de acuerdo con lo que dice su signo y por qué.

I. EL ALFABETO ESPAÑOL

A ... a	**K ... ka**	**Rr... erre**
B ... be	**L ... ele**	**S ... ese**
C ... ce	**Ll... elle**	**T ... te**
D ... de	**M .. eme**	**U ... u**
E ... e	**N ... ene**	**V ... v chica, uve**
F ... efe	**Ñ ... eñe**	**W ... doble u, doble v**
G ... ge	**O ... o**	**X .. equis**
H ... ache	**P ... pe**	**Y ... i griega**
I ... i	**Q ... qu**	**Z ... zeta**
J ... jota	**R ... ere**	

****

II. PRONUNCIACION DE VOCALES Y CONSONANTES

I. LAS VOCALES: A, E, I, O, U.

Las vocales tienen una sola pronunciación y a excepción de la **u** siempre se pronuncian cuando son parte de una palabra. La **u** nunca se pronuncia en las combinaciones **que, qui.** (*queso, aquí*). Tampoco se pronuncia en las combinaciones **gue, gui** (guerra, guitarra) a menos que la **u** lleve diéresis que son los dos puntos (pingüino, güero).

II. LAS CONSONANTES

1. **B, V**

No existe pronunciación de <u>v labiodental</u>. Esta letra se pronuncia como la como la <u>b labial</u>: burro, vaca.

2. **C**

Esta letra se pronuncia como **s** cuando precede una **e** o una **i** (cerro, cielo), pero se pronuncia como **k** cuando precede las letras **a, o, u**: casa, cosa, cuna.

3. **G**

Esta letra tiene un sonido fuerte cuando precede una **a, o, u** o **consonante** (garza, gota, gula, grasa), pero tiene un sonido idéntico a la **j** cuando precede las letras **e, i** (gente, gitano). El sonido fuerte de la **g** con **e, i** se logra intercalando una **u** (guerra, guitarra).

4. **H**
   Esta letra no se pronuncia en español: hacer
5. **K**
   Esta letra aparece solamente en unas cuantas palabras: kilogramo, kilómetro, kiosko, kepí. Este sonido se representa con la **c** en la combinación **ca** (casa), **co** (cosa), **cu** (cuna), o **c más consonante** (crear).
6. **Q**
   Esta letra siempre está acompañada de la **u**. Se pronuncia como la **k**. Aparece únicamente en las combinaciones **que** y **qui**: queso, quiso
7. **W**
   Esta letra aparece únicamente en palabras extranjeras: kilowatts.

****

III. LOS SIGNOS DE PUNTUACION

Aprenda los signos de puntuación para cuando tome dictados.

1.	Punto:	.
2.	Coma:	,
3.	Punto y coma:	;
4.	Dos puntos	:
5.	Puntos suspensivos	...
6.	Comillas:	" "
7.	Signos de interrogación:	¿ ?
8.	Signos de exclamación:	¡ !
9.	Paréntesis:	( )
10.	Corchetes:	[ ]
11.	Llave:	{ }
12.	Asterisco:	*
13.	Guión:	--
14.	Raya (más larga que el guión):	____
15.	Letra mayúscula:	**B, D, H, R**[1]
16.	Letra minúscula:	**b, d, h, r**
17.	Aparte :	empezar un **párrafo nuevo**.
18.	Seguido:	continuar escribiendo en el **mismo párrafo**.

---

[1]No se usan letras mayúsculas con los días de la semana, los meses del año ni con las nacionalidades.

IV. LOS SONIDOS DEL INGLES Y DEL ESPAÑOL

I. En inglés hay ciertas letras que tienen sonidos similares a los del español. Esta confusión a veces crea errores en la ortografía. Los errores ocurren con mayor frecuencia en los **cognados** [palabras que tienen la misma o casi la misma ortografía en español y en inglés (refrigerator-refrigerador)]. La siguiente lista apunta varios sonidos del inglés y su equivalente en español.

1. **ph=f**
La **ph** del inglés (telephone, philosophy) tiene su equivalente en la letra **f** (teléfono, filosofía).

2.. **th = t**
La **th** del inglés (theory, theme) tiene su equivalente en la letra **t** (teoría, tema).

3. **ch = c, qu**
La **ch** del inglés con sonido de **k** (christian) tiene su equivalente en la letra **c** (cristiano, tecnología) o en la **qu** (química).

4. **qu = cu**
La **qu** del inglés (frequent) tiene su equivalente en **cu** (frecuente)

5. **cc = c**
La **cc** del inglés (accent) tiene su equivalente en la **c** (acento)

6. **ll = l**
La **ll** del inglés (gallon) tiene su equivalente en la **l** (galón)

7. **y = i**
La **y** del inglés (system) tiene su equivalente en la **i** (sistema)

8. **j = y**
La **j** del inglés (project) tiene su equivalente en la **y** del español (proyecto).

II. Consonantes dobles
En inglés, prácticamente cualquier consonante puede aparecer doble (abbey, accent, addict,).
En español, solamente la **cc** (acción) y raramente la **nn** (innecesario).

III. En inglés también existen grupos de consonantes que tienen su equivalente en español.

1. **-tion = -ción**
-tion del inglés (relation) tiene su equivalente en **-ción** del español (relación).

2. **-ssion = -sión**
-ssion del inglés (profession) tiene su equivalente en **-sión** del español (profesión).

3. **-ty = -dad**
   -ty del inglés (generosity) tiene su equivalente en **-dad** del español (generosidad).
4. **-ly = -mente**
   -ly del inglés (absolutely) tiene su equivalente en **-mente** del español (absolutamente).
5. **-ous = -oso**
   -ous del inglés (vicious) tiene su equivalente en **-oso** del español (vicioso).

EJERCICIO. Dé el cognado español de las siguientes palabras.

1. physics ________________
2. rhythm ________________
3. chaos ________________
4. to accept ______________
5. system ________________
6. project ________________
7. section ________________
8. occasion ______________
9. society ________________
10. frequently _____________
11. absolutely _____________
12. mysterious _____________
13. probability ____________
14. to abbreviate __________
15. to applaud _____________
16. attention _______________
17. official ________________
18. discussion ______________
19. innocent ________________
20. opportunity _____________
21. oppression ______________
22. necessary _______________
23. successor _______________
24. profession ______________
25. photograph ______________
26. charisma ________________
27. athlete _________________
28. major ___________________
29. organization ____________
30. dollar __________________

V. ORTOGRAFIA MISCELANEA

1. El artículo **el** y las preposiciones **a, de**

   En español existen únicamente dos contracciones: **al, del**. Estas contracciones resultan cuando las preposiciones **a** o **de** se combinan con el artículo **el**.

1.1 **a + el = al**

   Correcto: Voy **al** mercado.
   Incorrecto: Voy **a el** mercado.

1.2. **de + el = del**

   Correcto: Vengo **del** mercado.
   Incorrecto: Vengo **de el** mercado.

2. El pronombre **él** y las preposiciones **a, de**

   Cuando el pronombre **él** se combina con las preposiciones **a, de** siempre deben estar separados y **él** siempre debe llevar acento.

   - Voy a verlo **a él**.
   - Voy a hablar **de él**.

3. Las conjunciones **y, e**

   Se usa la conjunción **y** siempre y cuando la palabra que va después de **y** no empiece con el sonido de **i**. Si empieza con el sonido de **i**, entonces se utiliza la letra **e**:

   - Tengo dos clases: español **e** inglés.
   - Se fueron al cine los dos: padre **e** hijo.

4. Las conjunciones **o, u**

   Se usa la conjunción **o** siempre y cuando la palabra que va después de **o** no empiece con el sonido de **o**. Si empieza con el sonido de **o** , entonces se utiliza la letra **u**:

   - No sé si necesitamos siete **u** ocho libros.
   - No sé si en esa oficina hay solamente mujeres **u** hombres.

5. **a, ah, ha**

   (1) a La preposición: Vengo **a** estudiar.
   (2) ah La interjección: ¡**Ah**!, ya me acordé de ti.
   (3) ha Forma verbal: Manuel no **ha** venido.

6. **e, eh, he**

   (1) e La conjunción que sustituye la **y**: Juan **e** Irene.
   (2) ¡eh! La interjección: Juan: "Malena, ¿a qué hora llegaste?"//Malena: "¿**Eh**?"
   (3) he Forma verbal: Yo no **he** estudiado hoy.

7. **ay, hay, ahí, allí**

   (1) ¡ay! La interjección: ¡**Ay**! Ya me pisaste otra vez.
   (2) hay Forma verbal: **Hay** tres quejas. **Hay** que ir a trabajar.

	(3) ahí o allí	El adverbio:	**Ahí** (**Allí**)no hay ningún libro.

8. **haber**, **a ver**

(1) haber	Es el verbo en su forma de infinitivo: Debe **haber** cinco libros.
(2) **a ver**	Dos palabras: la preposición **a** y el verbo **ver**. Vamos **a ver** quién es el nuevo jefe.

9. **hacer**, **a ser**

(1) hacer	Es el verbo en su forma de infinitivo: Vamos a **hacer** la tarea.
(2) a ser	Son dos palabras: la preposición **a** y el verbo **ser.** Significan existencia o estado: Yo voy **a ser** el jefe.

10. **echo/a/os/as, hecho/a/os/as**

(1) echo	Proviene del verbo **echar:** Yo **echo** el aceite en el bote.
(2) hecho	Proviene del verbo **hacer**: Yo no he **hecho** la tarea.

11. **mejor**, **más mejor** — No existe **más mejor.** El superlativo es **mejor:**
Yo creo que de todos los libros, éste es el **mejor.**

13. **lo siento** y **siento**

(1) lo siento.	**Lo siento** se usa en contestación, antes de una conjunción o antes de la preposición "por". Estuve muy enfermo. // **Lo siento**. (Contestación) **Lo siento**, pero no puedo salir hoy. (Antes de la conjunción "pero") **Lo siento** por ti. (Antes de la preposición "por")
(2) siento.	Por lo general, al principio de una oración se utiliza **siento**. **Siento** que hayas estado enfermo.

14. **más que, más de**

(1) más de	Se usa cuando se especifica la cantidad: Yo tengo **más de** 50 dólares.
(2) más que	Se usa cuando significa "solamente"; **más que** es precedida por **no**: Carlos **no** tiene **mas que** 5 dólares. También se usa cuando no se especifica una cantidad: Yo tengo **más** dinero **que** Carlos.

15. **primera, tercera** — Siempre se usa antes de un sustantivo femenino:
No es la **primera** vez que vengo; es la **tercera** vez.

Ejercicio A. Subraye la respuesta correcta.

1. ¿Vienes (del, de él) cine? No, vengo (del, de él) juego.
2. ¿Vas (al, a él) concierto?
3. La computadora es (del, de él) jefe.
4. El auto es (de él, del) amigo de Javier.
5 Yo hablo español (y, e) inglés.
6. La firma no es la (de él, del) gerente.
7 Esa firma es la (de él, del).
8. Queremos ir (a él, al) mercado.
9. No se te olvide. Hoy vamos (a el, al) cine.
10. Hoy no pueden venir Irma (y, e) Elena.
11. (A, Ah, Ha), ya me acordé de usted.
12. Gasté casi todo. No me quedan mas (que, de) cinco dólares.
13. (Lo siento, Siento) que te hayas caído.
14. (Ay, Ahí, Hay) no vive nadie.
15. En la clase (ay, hay) como diez estudiantes.
16. Vamos (a ver, haber) la exposición.
17. Vamos (a ser, a hacer, hacer) la tarea.
18. Este libro se me hace (mejor, más mejor) que los otros.
19. Ve (a ver, a haber, haber) si vino el correo.
20. Juan ya (a, ah, ha) venido aquí antes.
21. Esta es la (primer, primera) prueba que paso.
22. Yo voy (a ser, a hacer, hacer) el juez.
23. Yo creo que los muchachos se fueron (al, a el) parque.
24. Tú no has (hecho, echo) lo que te ordenaron.
25. Parte de la mesa está (hecha, echa) de vidrio.
26. Esta es la (tercer, tercera) vez que vengo a cobrar, y no lo encuentro.
27. Por favor (hecha, echa) las cartas en el buzón.
28. Ya se (ah, a, ha) ido al trabajo.
29. Debe (a ver, ha ver, haber) nuevas instrucciones para el proyecto.
30. Vamos (a ver, haber, ha ver) si ya llegaron los muebles.
26. Me dijiste que hoy vas (hablar, a hablar) con el jefe.
27. Vengo (del, de el, de él) cine.
28. No sé si hoy tengo que trabajar siete (o, u) ocho horas.
29. ¿Cuál de los dos va a ir por las hamburguesas, Juan (o, u) Oscar?
30. Todavía no sabemos si el avión tardará minutos (o, u) horas para salir.
31. ¿Qué le vas a llevar a tu novia, rosas (o, u) orquídeas?
32. No sé si vendrá mañana (o, u) hoy.
33. Estamos en casa con Carlos (y, e) Inés.
34. Padre (y, e) hijo se unieron a los liberales.
35. Marcos tiene más (de, que) cinco libros.
36. Para el equipo se necesitan diez (o, u) once jugadores.
37. ¿Quién fue a traer los refrescos, Pedro (o, u) Homero?

VI. NUMEROS CARDINALES

0	cero	10	diez
1	uno	20	veinte
2	dos	30	treinta
3	tres	40	cuarenta
4	cuatro	50	cincuenta
5	cinco	60	sesenta
6	seis	70	setenta
7	siete	80	ochenta
8	ocho	90	noventa
9	nueve		

11	once	100	cien
12	doce	200	doscientos
13	trece	300	trescientos
14	catorce	400	cuatrocientos
15	quince	500	quinientos
16	dieciséis	600	seiscientos
17	diecisiete	700	setecientos
18	dieciocho	800	ochocientos
19	diecinueve	900	novecientos
		1000	mil
		1,000,000	un millón

1. **Cien** cambia a **ciento** de 101-199: 100 = cien 103 = ciento tres

2. **Mil** no se pluraliza: 1,000 = mil 2,000 = dos mil

3. **Millón** es antecedido por **un**: 1,000,000 (un millón)
   Millón se pluraliza a **millones** y se quita el acento: 2,000,000 (dos **millones**)

4. **Uno** se convierte en **un** cuando viene *antes* de otro número, pero es **uno** cuando viene al *final:*
   101,001 = ciento **un** mil, **uno.**

5. **Uno** se convierte en **una** cuando la palabra que va después es femenina:
   151 mujeres = ciento cincuenta y **una** mujeres

6. La primera coma (,) de derecha izquierda separa los **miles**, la segunda los **millones**, y la tercera los **billones**.
   1,456,789 (un millón, cuatrocientos cincuenta y seis mil, setecientos ochenta y nueve)
   (En español, los billones se leen como millones:
   $9, 876, 543,786 (nueve mil, ochocientos setenta y seis millones, quinientos cuarenta y tres mil, setecientos ochenta y seis)

7. La **y** se pone entre las decenas y unidades exceptuando del once al quince.
23 = veinte **y** tres
Pero no se pone **y** si no hay decenas y unidades.
103 = ciento tres (no hay decenas)   150 = ciento cincuenta (no hay unidades)

8. La **i** se puede utilizar de los números 16 - 29 si se escribe como una palabra.
16= dieciséis

****

Ejercicio. Escriba los siguientes números.

(1) 75 ______________________________

(2) 93 ______________________________

(3) 396 ______________________________

(4) 1,100 ______________________________

(5) 8,757 ______________________________

(6) 14,768 ______________________________

____

(7) 107,923 ______________________________

____

(8) 1,001,010 ______________________________

____

(9) 19,478 ______________________________

____

(10) 7,777,777 ______________________________

____

(11) 397,426 ______________________________

____

(12) 237,956 ____

____

(13) 120,297 ____

____

(14) 735,426 ____

____

(15) 56,789,001 ____

____

(16) 395,165 ____

____

(17) 793,456 ____

____

(18) 120,387,637 ____

____

(19) 100,100,100 ____

____

(20) 302,001,030 ____

____

(21) 570,031,901 ____

____

(22) 200,006,390 ____

(23) 999,999 ____

____

(24) 300,003,300 ____

____

(25) 101,101,101 ____

____

(26) 174,987 ____

____

(27) 995,787 ____

____

(28) 1,001 ____

____

(29) 2,043,012 ____

____

(30) 326,934,756 ____

____

(31) 120,001,136 ____

____

(32) 24,476,863,071 ____

____

(33) 5,789,895,895 ____

____

Haz rendir tu tiempo

El único recurso no renovable que a todos nos es repartido por igual es el tiempo. Veinticuatro horas de cada día para cada quien y nada más. El tiempo no se puede almacenar como las materias primas o los productos terminados, no se puede acumular como el dinero, no lo podemos recuperar y estamos obligados a utilizarlo mientras vivamos. Tal vez, el principal mecanismo regulador de la personalidad y del éxito sea el cómo lo aprovechamos.

Desperdiciar el tiempo es desperdiciar la vida. El escritor mexicano Luis Spota, al saber que pronto moriría de cáncer, expresó en 1981: "Estoy lleno de novelas, de planes. Me falta tiempo. Quisiera comprar el tiempo de tantos que andan por ahí; de esas gentes que no hacen nada".

El tiempo se mide en sucesos y acontecimientos, no en segundos. Desperdicia tu tiempo y tendrás muchas menos cosas que recordar y menos momentos felices que vivir. Para mejorar la administración de tu tiempo, empieza por reconocer en qué y cómo lo estás "gastando" actualmente.

Las prisas, agitación y desasosiego de la vida moderna nos han lanzado a un desgaste excesivo y a una confusión de ideas que hace de la preocupación constante una terrible forma de vivir. Con demasiada frecuencia caemos en la ilusión de que los enemigos de nuestro tiempo son externos y ajenos a nuestra persona. Pero la realidad es que muchos de los más temibles se encuentran dentro de nosotros mismos en forma de hábitos y patrones de pensamiento que es preciso cambiar.

Las principales causas internas de pérdida de tiempo o "ladrones de tiempo" son:

-desorganización personal;
-falta de planeación;
-apartarse de objetivos concretos;
-demorar o evadir el momento de iniciar las tareas;
-falta de método al realizar tareas y objetivos;
-costumbre de aplazar trabajo y decisiones;
-confundir importante con urgente;
-agotarse en tareas insignificantes;
-dejarse dominar por la pereza mental y física;
-demasiada "plática mental" consigo mismo y poca acción;
-constantes viajes en busca de alimento;
-querer hacer todo al mismo tiempo;
-empezar muchas cosas a la vez.

Todos tenemos "la hora tranquila, la hora brillante" y productiva. Unas personas prefieren irse a dormir antes de media noche y no les importa levantarse al amanecer para planear, organizar, diseñar, estudiar o programar sin interrupciones. Han descubierto que su nivel de energía, concentración y vitalidad es más alto en las mañanas y empieza a declinar de las seis de la tarde en adelante. Otras personas prefieren dormir hasta avanzada la mañana y, en cambio, son capaces de trabajar sin descansar hasta muy avanzada la noche con óptimos resultados: alta productividad, mínimo de errores y sin cansancio. Es importante que identifiques tu horario de alta productividad y lo aproveches al máximo. De esta manera, tendrás tiempo libre.

En 1948, tocó a las Naciones Unidas establecer entre los derechos fundamentales del ser humano el disfrute del tiempo libre considerándolo como fuente de equilibrio, fecundidad creativa, valores, vida afectiva, cultural, energetizante y llena de pequeñas o grandes compensaciones.

El tiempo libre surgirá por la buena organización de tu tiempo en general. Primero identifica y enlista tus "ladrones" de tiempo y encuéntrales solución. Luego enlista todo aquello que deseas hacer en tu tiempo libre y recuerda: "Lo importante en la vida no es hacer lo que se quiere, sino querer lo que se hace". En la medida en que enriquezcas la calidad de tu vida, alejarás la posibilidad de sorprenderte a ti mismo con honda tristeza por todo aquello que no hiciste y encontrarte con las manos y la vida vacías.

Ejercicio A. Llene el espacio en blanco con una de las palabras de la siguiente lista. Puede cambiar el género o/y el número si es necesario.

ajeno	desasosiego	equilibrio	patrón
almacenar	desgaste	fuente	pereza
aplazar	disfrutar	materia prima	renovable
		tarea	repartido

1. Esta tarjeta no es _________________.

2. El verano pasado me aburrí demasiado. Este verano lo voy a _________________.

3. No se han ______________________ los premios todavía.

4. Estoy intranquilo. Siento mucho ______________________.

5. Esta mercancía se necesita ______________________.

6. La computadora está muy vieja. Ya tiene demasiado ________________.

7. Hoy los trabajadores tienen muchas _____________ que terminar.

8. Los árboles son la __________________ para el papel.

9. Tenemos que arreglar el auto hoy. Ya no se puede _____________ más.

10. Hoy estaba muy cansado. Tenía mucha ________________.

11. Es importante encontrar un ________________ entre el trabajo y la diversión.

12. En este trabajo, el _________________ nos trata muy mal.

13. Tenemos que ________________ de nuestro tiempo mientras estemos de vacaciones.

14. Esa __________________ tiene mucha agua.

15. Ese dinero no es nuestro. Es ___________________.

Ejercicio B. Escoja la letra que mejor defina las palabras subrayadas.

1. El tiempo no se puede almacenar como las materias primas
   a. desperdiciar b. conservar c. gastar
2. Para tener éxito, hay que saber aprovechar el tiempo.
   a. descansar b. triunfar c. fracasar
3. Ocurrieron algunos sucesos interesantes en la oficina..
   a. incidentes b. heridos c. triunfos
4. El joven siente desasosiego en la clase.
   a. tristeza b. pereza c. intranquilidad
5. Es preciso salir ahora.
   a. necesario b. exacto c. cortés

Ejercicio C. Conteste las siguientes preguntas.

1. ¿Qué es lo único no renovable?
2. ¿Qué diferencia hay entre las materias primas y el tiempo?
3. ¿Quién fue Luis Spota? ¿Qué quería?
4. ¿Cómo se mide el tiempo?
5. ¿Cómo se puede administrar mejor el tiempo?
6. ¿Quién es el principal enemigo del tiempo?
7. ¿Qué es la "hora brillante"? ¿la "hora tranquila"?
8. ¿Cuál es la importancia de la resolución de las Naciones Unidas con respecto al tiempo?
9. ¿Cómo se puede aprovechar mejor el tiempo?
10. ¿Qué es lo importante en la vida?

Ejercicio D. Para escribir.

1. ¿Cuáles son los principales "ladrones" de su tiempo? ¿Cómo los combate?
4. ¿Cuál es su hora brillante? Dé dos ejemplos.
5. Si usted pudiera controlar sus "ladrones", ¿cómo disfrutaría de su tiempo libre?

El alcohol y sus efectos

Una lata de cerveza o un vaso de vino es tan embriagante como un "trago" de licor. La mayoría de las leyes estatales definen el "estar tomado" cuando se tiene en el cuerpo una concentración de alcohol de .10 o más. Hay que recordar, sin embargo, que las personas son afectadas por el alcohol de manera diferente, según el metabolismo, el estado emocional, el cansancio, los medicamentos que se estén tomando, el tiempo que haya transcurrido desde los últimos alimentos, y el peso. Por tales razones, nadie puede predecir el número de bebidas que una persona puede ingerir sin convertirse en una amenaza pública. Lo principal es que hasta una mínima cantidad de alcohol reduce las reacciones físicas y los procesos mentales.

En los Estados Unidos, el alcohol es uno de los causantes en casi la mitad de los asesinatos, suicidios, y accidentes fatales que ocurren en el país. El alcohol es el culpable por más de 100,000 vidas que se pierden anualmente. Esta cifra representa 25 veces más vidas que las de todas las demás drogas combinadas. Dos de cada 3 jóvenes de "high school" han probado el alcohol. Más de 4,000 adolescentes mueren y otros 110,000 salen heridos seriamente cada año en accidentes automovilísticos debido al alcohol. No todos los que se accidentan han estado tomando. Algunas víctimas han sido pasajeros inocentes de conductores embriagados. También han sido víctimas de borrachos muchos conductores y peatones inocentes. Estas cifras significan que de una generación de 475 alumnos de una "high school", dos de ellos probablemente morirán o serán seriamente heridos en un accidente automovilístico debido al alcohol. Uno de ellos podría ser tu mejor amigo. El otro podrías ser tú.

El combinar el alcohol con los medicamentos, aun aquéllos que se pueden obtener sin receta, multiplica los peligrosos efectos de ambos. Nunca mezcle el alcohol con pastillas para el resfriado, con líquidos para la tos, o con medicinas recetadas por el médico.

Es importante protegernos de los efectos del alcohol. Los jóvenes se pueden ayudar entre ellos de varias maneras. Durante fiestas de graduación pueden irse en grupos ya sea en autobuses, limosinas o en automóviles. También se les puede sugerir a los padres de familia y a profesores que se organice un grupo de individuos para que durante la fiesta anual de graduación lleven a los estudiantes que han tomado demasiado a su casa. De esta manera se evitarán accidentes. Es también importante que los padres no les digan nada a los jóvenes que han estado tomando. Cuando haya otras actividades sociales en alguna casa particular, los padres pueden firmar documentos o por lo menos prometer que no se servirá ni se permitirá que en sus casas se sirva alcohol a los jóvenes.

Otras actividades para protegerse de los efectos del alcohol pueden incluir el pedirle a un estudiante que haya estado en un accidente que involucró alcohol que hable a su club o a la asamblea general de la escuela y cuente su experiencia del accidente. También ayuda muchísimo el recordar que cuando se alcance la mayoría de edad para comprar alcohol, no se le compre a los menores. No se les está haciendo ningún favor.

Existen una serie de mitos o mentiras con respecto al alcohol. Estos mitos les sirven a las personas que buscan una excusa para seguir tomando. Lea los más conocidos:

Mito: Si una persona se concentra lo suficiente, él o ella pueden vencer cualquier efecto que el alcohol tiene en el manejo del vehículo.

Realidad: *Mentira. El alcohol afecta el cerebro y atrofia la concentración y los reflejos.*

Mito: Si una persona ha estado tomando y quiere quitarse los efectos del alcohol antes de marcharse, el café puede hacerlo rápidamente.

Realidad: *Mentira. El café mantiene a la persona despierta debido a la cafeína pero los efectos del alcohol se quitan únicamente con tiempo.*

Mito: Si una persona ha estado tomando, esa persona puede conducir siempre y cuando no actúe embriagada.

Realidad: *Mentira. Muchas personas que no actúan borrachas son una verdadera amenaza al público.*

Mito: Si una persona se toma una bebida o dos, le ayuda a conducir mejor porque la relaja.

Realidad: *Mentira. La puede relajar tanto que no está alerta a situaciones imprevistas y puede causar un accidente.*

Mito: Si una persona ha estado tomando y maneja bastante tarde por la noche, no existe mucho peligro si conduce cuando los caminos están desiertos.

Realidad: *Mentira. Los accidentes ocurren en cualquier lugar y a cualquier hora.*

La mejor manera de evitar accidentes es no engañarse a sí mismo con estos mitos. Hay que ponerse listo. No tome y maneje. Si usted toma y maneja está corriendo ese riesgo. No deje que sus amigos se arriesguen tampoco. Si anda con gente que ha estado tomando, trate de impedir que manejen. Haga que alguien más los lleve a casa, que tomen un taxi o asegúrese que no se vayan. Si estos intentos no dan resultado, no se vaya usted con ellos.

No vale la pena arriesgarse a conducir cuando se ha estado tomando. Nadie quiere vivir con el recuerdo de haber causado un accidente, lastimado a alguien, o quitado una vida. Recuerde: el asesino número uno de los jóvenes es el conductor embriagado.

Ejercicio A. Llene el espacio en blanco con una de las palabras de la lista.

amenaza	café	automovilísticos	relajamiento	embriagante	conductor
embriagado	ingerir	mezclar	peatones	borrachos	conducir

1. El accidente ocurrió porque el ______________ iba ______________.

2. El _______________ alcohol es una ______________ para los _________.

3. Una lata de cerveza es tan _________________ como un vaso de vino.

4. Hay muchos accidentes ___________________ debido al alcohol.

5. Es importante no _________________ el alcohol con medicamentos.

6. Muchas personas inocentes han sido víctimas de _________________.

7. Algunas personas creen que los efectos del alcohol se quitan con _______________.

8. El ___________________ que resulta de tomar bebidas puede causar un accidente.

9. Si una persona está embriagada aunque no parezca estarlo, no debe _______________.

Ejercicio B. Conteste las siguientes preguntas.
1. ¿Cuántos adolescentes mueren y cuántos salen heridos debido al alcohol?
2. ¿Cuáles son algunas de las víctimas inocentes en casos relacionados con el alcohol?
3. ¿Cuáles son algunos de los factores físicos y emocionales del alcohol?
4. ¿Qué porcentaje de alcohol en el cuerpo determina el "estar tomado"?
5. ¿Cuántas bebidas puede tomar una persona sin convertirse en una amenaza pública?
6. ¿Es aconsejable mezclar el alcohol con medicamentos?
7. ¿Cuáles son dos actividades entre adolescentes para evitar accidentes automovilísticos debido al alcohol?
8. ¿Cuántas vidas se pierden anualmente debido al alcohol?
9. ¿Cómo se compara el alcohol con otras drogas en muertes?
10. ¿Cuántos "seniors" en "high school" han probado el alcohol?
11. ¿Qué le deben decir los padres a los hijos que han estado tomando durante las fiestas de graduación?
12. ¿Qué pueden hacer los jóvenes durante la fiesta de graduación para ayudarse entre ellos mismos?

Ejercicio C. Para escribir.
Escriba su opinión acerca del alcohol. Respalde sus comentarios con ejemplos o con una experiencia que usted o algún amigo haya tenido con el alcohol.

CAPITULO 2

Vocabulario
Cognados, anglicismos, neologismos, caló
Sustantivos masculinos y femeninos
El artículo definido e indefinido

El español es una hermosa lengua, no importa la forma en que se hable

A la edad de cuatro años, para el asombro de mis amistades, mi hija ya hablaba español e inglés sin dificultad . La razón era que mi esposa y yo estábamos convencidos de que ambos idiomas eran de gran importancia, especialmente dentro de una comunidad bilingüe.

Sin embargo, no todos los hispanos deseaban que sus hijos aprendieran los dos idiomas sino solamente el inglés ya que era una "mancha" que se ponía a todas aquellas personas que hablaban español. El español era considerado un lenguaje callejero, especialmente el español nuestro, el español del barrio. A los puristas de la lengua les daba escalofrío cada vez que nos oían a nosotros los chicanos hablar en español porque consideraban que no lo hablábamos correctamente. ¿Pero saben? Nosotros teníamos nuestra forma de comunicación a través del caló o pachuquismos. Era nuestro rechazo del español formal lo que causaba que se nos llamara "los desarraigados". Nuestro tipo de español también era inaceptable para muchos hispanohablantes.

Aunque nosotros sabíamos hablar el español correcto, preferíamos no hacerlo. Nosotros hablábamos el español correcto con nuestros padres o abuelos, pero entre nosotros los jóvenes utilizábamos nuestra propia forma de hablar. Creábamos nuestras propias realidades y formas distintas de comunicación. Naturalmente, la gente que hablaba el español correctamente nos tachaba de iletrados, pero a nosotros no nos importaba. Estábamos en comunicación con nuestro grupo, y nos expresábamos en códigos secretos que nadie comprendía.

Los sociólogos le llaman a una de las características de nuestro lenguaje "alternación de códigos", el cambio de una lengua a otra. Sin embargo aún hoy, existen puristas que insisten en que únicamente el "español del rey" autorizado por la Real Academia Española es aceptable. Uno de mis compañeros periodistas insiste en que nuestro deber es enseñar el español correcto. Dice que cuando entrevistemos a la gente del barrio debemos enseñárselo. Yo estoy en desacuerdo. Mi contienda es que debemos "toriquear" con ellos de una manera que nos entiendan. Si un "chavalo" dice que quiere pasearse en su "ranfla", nosotros debemos entender qué es lo que está diciendo. Si no entendemos, entonces debemos preguntar, pero debemos respetar su derecho de comunicarse como él pueda hacerlo. Si este "chavalo" nos dice que desea ponerse su mejor "lisa", sus mejores "tramos" y sus "calcos" preferidos para irse a "borlotear" con su "jaina", ¿debemos nosotros corregirle su español? ¿O nos reprochará la Academia si le contestamos, "Orale pues, carnalito. Si esa es tu onda, pues dale gas, y como te caiga a ti. Simón ese."?

45 Cuando yo salgo tras una historia como reportero, no me causa escalofrío cada vez que alguien me habla en "pachucano" (caló). Yo sencillamente escucho y respeto el derecho de esa persona de hablar español como desee hacerlo. Si una persona utiliza un español propio, también puedo manejarlo. Yo pienso que 50 la responsabilidad del reportero es aprender a comunicarse con las personas sin que le importe el lenguaje que esa persona utilice. Algunos reporteros aprendieron a hablar el español formal, pero no hablan dialectos. Es decir, su español está limitado.

El español es un vehículo de comunicación; está aquí para 55 quedarse en sus diferentes formas. A pesar de los esfuerzos de aquellos que abogan para reducir la importancia del dialecto chicano, este continuará sobreviviendo. Y yo digo, ¡bravo!

Ejercicio A. Llene el espacio en blanco con una de las palabras de la lista.

a través de	ambos	escalofrío	purista
caló	callejero	iletrado	rechazo
abogar	desarraigado	mancha	tachaba

1. Ninguno de los dos puede jugar. _____________ están enfermos.

2. El caballo tiene una ______________ blanca en la frente.

3. Mi hijo nunca está en casa. Es muy ___________________.

4. El final de la película estaba tan horrible que sentí un ___________________.

5. Pude escuchar la conversación __________________ de la cortina.

6. El no asistió a la escuela. Es ________________.

7. Hay sociedades que ________________ por los derechos humanos.

8. "Carnalito" es considerada una palabra __________________.

9. Cuando a una persona se le destierra de su país, se le conoce como __________________.

10. Todos los idiomas se deben aceptar por igual. Es un error cuando se les _____________.

11. Al profesor de español le gusta que hablen el español de la Real Academia. El es un profesor ______________.

Ejercicio B. Busque la definición de los siguientes términos y discútalos en clase.

12. Caló ____

13. Tex-Mex ____

14. Pocho ____

15. Chicano ____

16. Desarraigado _______________________________________

17. Code-switching _____________________________________

Ejercicio C. ¿Puede escribir un sinónimo o definir los siguientes términos?

1. ranfla ______________________ 4. simón ______________________

2. calcos _____________________ 5. toriquear ____________________

3. órale _______________________ 6. jaina _________________

Ejercicio D. Conteste las siguientes preguntas.

1. ¿Por qué las amistades de Olvera se sorprendían de que su hija hablara español e inglés?
2. ¿Por qué cree usted que algunos padres no desean que sus hijos hablen español? ¿Qué piensa usted de esta práctica? Explique.
3. ¿Por qué cree usted que a los chicanos se les aplicaba el término "desarraigados"? ¿Cree usted que es apropiado aplicarle este término a los chicanos? ¿Por qué?
4. ¿Puede usted dar algunos ejemplos de "code-switching"?
5. ¿Cree usted que una persona que hable el español correcto debe corregir a la persona que no lo habla bien? ¿Por qué?
6. ¿Podría usted describir, con ejemplos, la forma de expresión del hispano?
7. ¿Qué entiende usted por "caló" o "pachucano"? ¿Puede usted dar algunos ejemplos?
8. ¿Cree usted que era apropiado que se les llamara "desarraigados" a los que hablaban caló? ¿Por qué?

Ejercicio E. Para escribir.

1. A los hispanos se nos han dado otros nombres para identificar nuestro grupo étnico tales como chicano, mexicano-americano, latino, etc. ¿Cuál prefiere usted? ¿Por qué? Elabore.
2. Discuta el lenguaje que hablamos los chicanos en los Estados Unidos.

I. VOCABULARIO MISCELANEO

1. ORTOGRAFIA

La siguiente lista contiene palabras que frecuentemente se deletrean incorrectamente. Escriba una oración con cada palabra. Puede combinar varias en una oración.

1. afuera
2. aguja
3. agujero
4. ahora
5. aire
6. almohada
7. animal
8. apariencia
9. apellido
10. vidrio
11. así
12. aunque
13. autobús
14. botella
15. cerca
16. ciencia
17. ciudad
18. codorniz
19. conciencia
20. conveniencia
21. correo
22. delantal
23. dentista
24. diferencia
25. electricidad
26. donde
27. edificio
28. estómago
29. experiencia
30. toalla
31. teatro
32 hoy
33. humareda
34. según
35. lengua
36. maestro
37. medicina
38. mismo
39. mucho
40. nadie
41. neblina
42. obediencia
43. oscuro
44. paciencia
45. para
46. pared
47. párpado
48. peor
49. periódico
50. piedra
51. pobre
52. policía
53. polvareda
54. pues

****

II. INFINITIVOS

Los siguientes infinitivos (verbos) son también a veces escritos con ortografía incorrecta. Véalos cuidadosamente y después escriba una oración con cada uno. Puede combinar varias en una oración.

1. admitir
2. advertir
3. ahogar
4. ahorcar
5. ahorrar
6. probar
7. borrar
8. debilitar
9. derramar
10. derretir
11. desaparecer
12. escoger
13. estornudar
14. figurar
15. fusilar
16. invitar
17. lamer
18. manejar
19. pellizcar
20. prestar
21. remedar
22. silenciar
23. tocar
24. tropezar

Ejercicio. Llene los espacios en blanco con la traducción apropiada de la palabra entre paréntesis.

1. Para coser, necesitamos hilo y ______________________. (needle)

2. Por favor toma el borrador, y ______________________ el pizarrón. (erase)

3. Quizás vayamos ______________________ al cine. (today)

4. A una persona que _________________ se le dice "salud". (to sneeze)

5. Ya me cansé de ______________________ este auto. (to drive)

6. Para abrir esta puerta se tiene que ______________________ con fuerza. (to push)

7. No te vayas a ______________________ en la oscuridad. (to trip)

8. Me remuerde la __________________ viendo trabajar tanto a mis padres. (conscience)

9. ¿Hay _______________ entre un pavo, un guajolote y un cócono? (difference)

10. Dice el proverbio que "las ______________________ engañan". (appearances)

11. Mis familiares siempre me ______________________ como yo hablo. (to mimic)

12. No tengo libro. ¿Me puedes ___________________ el tuyo? (to loan)

13. El perro va a ______________________ el plato. (to lick)

14. Tienes que ______________________ uno de estos libros. (to choose)

15. El profesor no tiene ______________________. (patience)

16. Yo no quiero ______________________ la olla. (to touch)

17. En esta oficina necesitamos a alguien con ______________________. (experience)

18. Con la ______________________ del incendio no se ve el cielo. (smoke)

19. El hielo se va a ______________________ con el calor. (to melt)

20. Los tutores están aquí para la _________________ de los estudiantes. (convenience)

21. El cuadro está colgado en la ______________________. (wall)

III. COGNADOS Y ANGLICISMOS.

Cognados son palabras que se deletrean igual o casi igual en inglés y en español. Los cognados tienen el mismo significado: *color* (inglés) y *color* (español)]

Anglicismos son palabras en español que provienen del inglés; se deletrean igual o casi igual pero tienen distinto significado. A los anglicismos también se les llama **cognados falsos.**

	Inglés	**Español**	**Anglicismo**
1.	mayor (of a city)	alcalde	*mayor*
2.	application (for a job)	solicitud	*aplicación*
3.	applicant (for a position)	solicitante	*aplicante*
4.	to apply for (a position)	solicitar	*aplicar*
5.	to support (a candidate)	apoyar	*soportar*
6.	notes (in class)	apuntes	*notas*
7.	to attend	asistir	*atender*
8.	library	biblioteca	*librería*
9.	grades (in school)	calificación, nota	*grados*
10.	to move out	cambiarse, mudarse	*moverse*
11.	card	tarjeta	*carta*
12.	competition	competencia	*competición*
13.	conservative	conservador	*conservativo*
14.	to correct	corregir	*correctar*
15.	to realize	darse cuenta	*realizar*
16.	demonstration (rally)	manifestación	*demostración*
17.	to resign (from a job)	renunciar	*resignar*
18.	principal (school)	director	*principal*
19.	carpet	alfombra	*carpeta*
20.	to direct	dirigir	*directar*
21.	to figure out	resolver, entender	*figurar*
22.	manager (business)	gerente	*manejador*
23.	idealistic	idealista	*idealístico*
24.	to register (for school)	inscribir, matricular	*registrarse*
25.	to introduce (persons)	presentarse	*introducir*
26.	materialistic	materialista	*materialístico*
27.	parents	padres	*parientes*
28.	position (job)	puesto, plaza	*posición*
29.	credit card	tarjeta de crédito	*carta de crédito*
30.	realistic	realista	*realístico*
32.	court (legal)	juzgado	*corte*
33.	to come back	regresar, volver	*venir pa' 'tras*
34.	elevator	elevador, ascensor	*elevador*
35.	to run for office	hacerse candidato	*correr para oficina*
36.	how do you like ...?	¿Qué te parece...?	*¿Cómo te gusta...?*
37.	to ask a question	preguntar, hacer una pregunta	*preguntar una pregunta*

Ejercicio A . Llene el espacio en blanco con la palabra entre paréntesis. Tome todas las respuestas de la lista de arriba.

1. Es importante ______________________ ese trabajo. (to apply)

2. El señor González es muy buen _________________. (manager)

3. Algún día ella se va a ______________________ del error que hizo. (to realize)

4. Voy a ir a ______________________ el nuevo ____________________ de ______________________. (to apply for, position, manager)

5. El ______________________ desempeña muy bien su puesto. (mayor)

6. Los republicanos son muy ______________________. (conservative)

7. La frontera es ideal para ______________________ un candidato hispano. (to support)

8. El campeón va a __________________ a su título. (to resign)

9. La ____________________ para trabajar no la llenaron correctamente. (application)

10. En la ______________________ tienen muy buenas ediciones. (library)

11. Mañana me voy a ______________________ en la universidad. (to register)

12. Yo obtuve una "A" de ______________________ en el examen. (grade)

13. Vamos a buscar al ______________________. (principal)

14. ¿Qué ________________ tienes en la compañía? (position)

15. No traigo dinero ni cheques. Pagaré con mi _______________________. (credit card)

16. Yo no voy a ________________ a clase hoy. (to attend)

17. Yo voy a ir a la _______________ estudiantil. (demonstration)

18. Permíteme _______________ a mis ____________________. (to introduce, parents)

19. Esta tarde tengo que ir al __________________. (court)

20. Me acaban de nombrar ______________________ de la nueva escuela. (principal)

21. Llena una ________________ para ese ___________________. (application, position)

22. Puse ______________________ nueva en mi casa. (carpet)

Ejercicio B. Traduzca las siguientes oraciones.

1. Are you going to apply for the position?

____

2. I did not attend the meeting at the library because I took an examination today.

____

3. If I run for office, I am not going to accept the support of the conservative party.

____

4. The new principal seems to be very idealistic.

____

5. Today my girlfriend introduced me to her parents.

____

6. We are going to move out of the house tomorrow.

____

7. I have to go to court next week.

____

8. Due to the competition, the carpets are on sale.

____

9. Did you put a new carpet?

____

10. The elevator is on the first floor.

____

11. The manager does not realize that he is too materialistic.

____

12. Before we leave the office, we need to figure out the problem.

____

13. He wants to ask a question about the exam.

____

14. How do you like my new dress?

____

15. I think he is going to become a candidate.

____

16. Last week, I attended a meeting at the library to discuss some new positions.

____.

****

IV. NEOLOGISMOS.

Neologismos son palabras del inglés que no están traducidas al español, sino que solamente se les da una pronunciación en español y se le añaden terminaciones españolas. A continuación se incluyen algunos ejemplos.

	Inglés	Español	Neologismo
1.	to lock	cerrar con llave	*lackiar*
2.	match	cerillo	*mecha*
3.	to match	hacer juego	*mechar*
4.	to trust	confiar	*trastiar*
5.	block	cuadra	*blocke*
6.	bills	cuentas	*biles*

	Inglés	Español	Neologismo
7.	to drop (a class)	dejar, dar de baja	*dropiar*
8.	to spell	deletrear	*espeliar*
9.	plug (electric)	enchufe	*ploga*
10.	spark plug	bujía	*ploga*
11.	to type	escribir a máquina	*taipiar*
12.	to sign	firmar	*saigniar*
13.	to mix	mezclar	*mixiar*
14.	to fail (a course)	reprobar	*feiliar*
15.	to watch	mirar, ver	*wachar*
16.	bunch	montón	*bonche*
17.	army	ejército	*armi*
18.	tracks	rieles	*trackes*
19.	brakes	frenos	*breckas*
20.	to push	empujar	*pushar*
21.	chance	oportunidad	*chanza*
22.	to miss	extrañar, fallar	*mistiar*

Ejercicio A. Llene el espacio en blanco con la traducción de la palabra entre paréntesis.

1. Mi hermano está en el ____________________ (army).

2. Yo vivo a una ______________________ de la escuela. (block)

3. Tuve un accidente porque fallaron los ________________ del auto. (brakes)

4. Yo vivo al cruzar los ____________________. (railroad tracks)

5. Yo no sé ______________________ muy bien. (to spell)

6. Yo quiero ____________________ el equipo. (to quit)

7. Vamos a ________________ la puerta. (to push)

8. Tenemos que pagar ________________ de la luz y el agua. (bills)

9. Necesito otra ____________________. (chance)

10. Con tal de no _________________ el curso, acepto tu ayuda. (to fail)

11. Yo no quiero ________________ el curso. (to drop)

12. Voy a ____________ la clase porque no puedo ________________. (to fail, to type)

V. El verbo *hacer*

El verbo **hacer** con frecuencia precede un verbo en inglés.
Ejemplo: Voy a **hacer** drop la clase

Ejercicio. Ponga las siguientes frases en español.

1. Tengo que hacer drop la clase.

   ____.

2. Voy a hacer spray la plant .

   ____.

3. Mary no quiere hacer type la letter porque está muy larga.

   ____.

4. Tenemos que hacer vacuum la carpet .

   ____.

5. No le vayas a hacer spoil su party .

   ____.

6. Voy a hacer toast el pan.

   ____.

7. Vamos a hacer dust la furniture .

   ____.

8. Tenemos que hacer sand la night stand porque ya tiene tres coats de pintura.

   ____.

VI. CALO O *SLANG*

El caló o "slang" del hispano en los Estados Unidos es tradicionalmente mexicano. En términos generales, el caló es un lenguaje figurado que reemplaza el significado original de una palabra; otras veces, es un vocablo inventado que tiene solamente un significado.

Palabra Caló	**Significado**
1. *bironga*	cerveza
2. *agüitarse*	ponerse triste
3. *borlo*	baile, fiesta
4. *aliniado*	bien vestido
5. *alivianarse*	animarse
6. *de aquellita*	muy bien

Ejercicio A.

1. ¿Conoce usted todas las palabras de la lista?
2. ¿Puede usted añadir otras palabras de caló a la lista?
3. ¿Utiliza usted el caló con frecuencia?
4. ¿Quién cree usted que utiliza más el caló: los hombres o las mujeres? ¿Por qué?

Ejercicio B. Sin alterar el significado cambie los siguientes comentarios al español formal.

1. Yo le dije a la chava que yo me salgo del chante cuando ella quiera que al cabo que mi carnal tiene una rental home, y le dice a sus tenants que la hagan vacate pa' moverme yo. Mi carnal es de aquellas, y siempre me hace support cuando yo estoy en trouble. Con más ganas me hace support orita pues a él nunca le ha caido esta jaina con la que estoy cantoneando.

2. Mi husband trabaja en un body shop. Ayer se subió pa'l attic pa' bajar unos supplies y se resbaló. Por poco se cai pero se detenió. De todas maneras, se hizo pop la back. Lo van a hacer disable for a few days.

3. No te agüites nomás porque te dejó tu jaina. Echate una bironga. You'll see that soon te vas a alivianar. Te vas a conseguir una chava más de aquellita.

4. Yo camellaba en una factory pero me hicieron lay-off. Orita estoy claiming unemployment pero ya se me va a acabar. Me dijo el boss que as soon as there was an opening again, de volada me hablaba.

5. Te voy a hacer drop en la corner para que compres el papel a ver que nuevas trae.

6. Se me hace que al little boy no le va a cai la teacher porque es muy demanding.

VII. SUSTANTIVOS MASCULINOS QUE TERMINAN EN "A"

En español, la mayoría de los sustantivos que terminan en ***"a"*** son femeninos (i.e. taza, mesa, alfombra). Con estos sustantivos se usa el artículo femenino, definido o indefinido, ***la, las, una, unas.*** Sin embargo, hay sustantivos que terminan en ***"a"*** pero son masculinos. Con estos sustantivos se debe utilizar el artículo masculino.

Los sustantivos de la siguiente lista son masculinos.

SUSTANTIVOS MASC. QUE TERMINAN EN "A"	
SINGULAR (EL, UN)	**PLURAL (LOS, UNOS)**
clima	
diploma	diplomas
drama	dramas
emblema	emblemas
idioma	idiomas
mapa	mapas
poema	poemas
problema	problemas
programa	programas
síntoma	síntomas
sistema	sistemas
sofá	sofás
tema	temas

VIII. SUSTANTIVOS FEMENINOS Y EL ARTÍCULO MASCULINO

Cuando un sustantivo femenino empieza con la letra ***a***, o con el sonido de la letra ***a***, y esta letra es la acentuada, debe utilizarse el artículo masculino (***el, un***) pero solamente en la forma singular. En la forma plural se debe utilizar el artículo femenino (***las, unas***).

SUSTANTIVOS FEMENINOS Y EL ART. MASC.	
SINGULAR (*EL, UN*)	**PLURAL (*LAS, UNAS*)**
acta	actas
agua	aguas
águila	águilas
ala	alas
alma	almas
ama	amas
ancla	anclas
anca	ancas
ánfora	ánforas
ánima	ánimas
ansia	ansias
área	áreas
aspa	aspas
asta	astas
ave	aves
habla	hablas
hada	hadas
hambre	hambres
hacha	hachas
álgebra	

Ejercicio. Llene el espacio en blanco con **el, la, los, las.**

1. _____ ave se mojó _____ alas en la fuente.
2. Yo no tengo ______ acta de nacimiento.
3. _____ hacha fue ____ arma que usé para defenderme.
4. ___ habla del barrio es lo que preferimos hablar.
5. ____ hambres que pasé de chico fueron muchas.
6. _____ arte es universal.
7. Angélica es ______ alma de las fiestas.
8. ____ área de este terreno es bastante.
9. _____ arpas se quebraron durante el viaje.
10. Yo sí creo en ______ almas en pena.
11. Uno de ____ temas en *El Lazarillo de Tormes* es ___ hambre.
12. Ya era tiempo que la universidad tuviera un rector que apoyara ___ artes.
13. Ya nos trajeron ____ actas de nacimiento.
14. ___ arpa está en un rincón.
15. Nos encontramos en una de ____ áreas más fértiles para la agricultura.
16. En ____ programas predominan ___ poemas de Tino Villanueva.
17. ____ problema está en la computadora.
18. _____ idiomas que Carlos habla son tres.
19. ____ temas que nos sugirió el profesor me parecen buenos.
20. Necesitamos ver ____ mapa de la República Mexicana.
21. En este país, _____ sistema educativo intenta resolver ____ problemas de las minorías.
22. Aparte del inglés, el español es ____ idioma que más se habla en los Estados Unidos.
23. Con el Tratado de Libre Comercio, es importante que los hispanos dominemos ______ idioma español tanto en ___ habla como en la lectura y la escritura.
24. ____ problema que tengo con ____ poema es que a mí no me dice nada.
25. ____ diplomas se entregarán cuando finalice ____ programa.
26. ____ acta se cayó en ____ agua.
27. ____ aves tienen _____ alas rotas.
28. ____ hacha no tiene filo.
29. ____ idiomas que se hablan aquí son español e inglés.
30. Se nos olvidaron _____ mapas.
31. ____ álgebra está en ____ programa de cursos.
32. Hoy nos traerán ____ diplomas.
33. ____ agua está caliente.
34. ____ problema es que no podré ir.
35. Dame ____ hacha.

REPASO

I. Escoja la letra de la palabra que esté escrita correctamente y que lleve la traducción de la palabra que está en inglés.

1. needle:
   a. abuja b. aguja c. abuga d. avuja e. ninguna

2. hole:
   a. agujero b. abujero c. avujero d. abugero e. ninguna

3. today:
   a. oi b. oy c. ahoy d. hoy e. ninguna

4. to sneeze:
   a. estornudar b. destornudar c. ninguna

5. to taste:
   a. aprobar b. probar c. aprovar d. ninguna

6. to erase:
   a. borar b. desborrar c. borrar d. desborar e. ninguna

7. to mimic:
   a. remedar b. arremedar c. aremedar d. ninguna

8. to touch:
   a. atocar b. tocar c. ninguna

9. to lick:
   a. lamber b. lamver c. lanber d. lamer

10. to disappear:
    a. desparecer b. desaparecer c. desapareser d. ninguna

11. to invite:
    a. imvitar b. envitar c. emvitar d. invitar

12. to trip:
    a. tropesar b. trompezar c. tropezar d. trompesar e. ninguna

13. to save:
    a. orrar b. horrar c. orar d. ninguna

14. to admit:
a. almitir b. almetir c. admitir d. admetir

15. to pinch:
a. peliscar b. pelliscar c. pellizcar d. peiscar

16. to apply for (a job):
a. aplicar b. solicitar c. applicar d. solisitar e. ninguna

17. to attend (a function):
a. attender b. atender c. asistir d. assitir

18. to figure out (a problem):
a. figurar b. resolver c. ninguna

19. to introduce (one person to another):
a. introducir b. presentar c. ninguna

20. to realize (a mistake):
a. darse cuenta b. realizar c. ninguna

21. to resign (from a job):
a. resignar b. renunciar c. ninguna

22. to support (a candidate for office):
a. soportar b. mantener c. apoyar

23. to register (for school):
a. registrarse b. matricularse c. ninguna

24. to ask a question:
a. hacer una pregunta b. preguntar una pregunta c. ninguna

25. to come down:
a. abajarse b. bajarse para abajo c. bajarse d. ninguna

26. according to (what someone says):
a. asegún b. según c. ninguna

27. patience:
a. pacencia b. paciensa c. paciencia d. pasensia

28. difference:
a. differiencia b. differencia c. diferiencia d. diferencia

29. experience:
   a. experencia b. experiencia c. esperencia d. ninguna

30. to melt:
   a. riditir b. redetir c. deretir d. derretir e. ninguna

31. to run for office:
   a. correr para oficina b. hacerse candidato c. correr para candidato d. ninguna

32. nobody:
   a. nadien b. naide c. nadie d. naiden e. ninguna

33. wall:
   a. pader b. paret c. pared d. ninguna

34. city:
   a. cuidad b. ciudad c. ciuda d. ninguna

35. police:
   a. policía b. polecía c. polesía d. ninguna

36. medicine:
   a. medecina b. medicina c. medesina d. ninguna

37. near by:
   a. cercas b. sercas c. cerca d. ninguna

38. pillow:
   a. almuada b. almoada c. almuhada d. almohada

39. towel:
   a. tualla b. toalla c. tuaya d. ninguna

40. apron:
   a. delantal b. delantar c. ninguna

41. dentist:
   a. dientista b. dentista c. ninguna

42. fog:
   a. nieblina b. nublina c. neblina d. ninguna

43. application (job):
   a. applicación b. solicitud c. aplicación d. applicasión

44. city mayor:
a. mayor b. major c. alcalde d. ninguna

45. library:
a. librería b. biblioteca c. ninguna

46. manager (store):
a. gerente b. manejador c. ninguna

47. grades (obtained in school for assignments):
a. grados b. apuntes c. calificaciones d. ninguna

48. school principal:
a. director b. rector c. principal d. ninguna

II. Escoja la letra que tenga el artículo apropiado.

1.	diploma	a.	el	b.	la
2.	sofás	a.	los	b.	las
3.	idioma	a.	el	b.	la
4.	sistemas	a.	los	b.	las
5.	mapa	a.	el	b.	la
6.	problema	a.	el	b.	la
7.	diplomas	a.	los	b.	las
8.	idioma	a.	el	b.	la
9.	sistema	a.	el	b.	la
10.	aguas	a.	los	b.	las
11.	hachas	a.	los	b.	las
12.	águilas	a.	los	b.	las
13.	artes	a.	los	b.	las

III. Traduzca las siguientes frases.

1. Are you going to apply for the position?

____

2. Today I did not attend the meeting at the library.

____

3. If I run for office, I am going to need the support of the conservative party.

____

4. The new principal seems to be very idealistic.

____

5. Today my girlfriend introduced me to her parents.

____

****

I. "Carta"

10 de mayo
El Paso, TX

Querida hermana Lupita,

Este semestre por fin me recibiré del colegio de la comunidad.

Recuerdo cuando se me ocurrió inscribirme en el colegio la idea me pareció absurda. Sin embargo, ya eran muchos los trabajos 5 que había tenido en diez años y todos pagaban muy poco. Necesitaba encontrar uno que por lo menos pagara lo suficiente para mantener un nivel de vida adecuado y a una familia en caso de que algún día me llegara a casar. Fue cuando decidí empezar a tomar clases en el colegio. Recuerdo que en mi visita a San Antonio, cuando fui a verte 10 te conté lo que tenía pensado hacer así como el miedo que tenía de fracasar. Tú me animaste, y me dijiste que era lo que más me convenía; que no me atemorizara; que si estudiaba, aprobaría. Seguí tu consejo, y así lo hice. Hasta hoy, todo ha resultado bien. Parece increíble, pero ya terminé los primeros dos años, y he aprobado todos 15 los cursos con buenas calificaciones.

Yo sé que todavía me faltan dos, quizá tres años de estudio para recibirme de la universidad. No importa. Me he dado cuenta que si me aplico lograré recibirme. Estoy dispuesto a invertir el tiempo y el esfuerzo necesarios para hacerlo. Con un título universitario, yo sé 20 que alcanzaré parte de mis ambiciones. Podré estar contento conmigo mismo que es lo principal. No me sentiré con la constante inseguridad de si tendré o no trabajo al día siguiente. Estaré confiado que si por alguna razón llegara a perder mi puesto, podré obtener otro sin muchos problemas.

25 Yo sé que el título no lo obtendré fácilmente. Sin embargo, por muy difíciles que sean las clases y por mucho que tenga que estudiar, tarde o temprano estaré en la ceremonia de graduación.

Bueno, es todo por ahora. Contéstame pronto. No te imaginas lo bien que me hace recibir tus cartas. Les mando muchos 30 besos y abrazos a ti y a mis sobrinos.

Tu hermano,
Miguel

Ejercicio A.

1. ¿Por qué decidió Miguel inscribirse en el colegio de la comunidad?
2. ¿Cuándo se recibirá Miguel?
3. ¿Dónde vive la hermana de Miguel?
4. ¿Cuál era el temor de Miguel?
5. ¿Cómo le fue a Miguel en sus estudios?
6. Según Miguel, ¿por qué es bueno tener un título universitario? ¿Está usted de acuerdo?
7. ¿Quién animó a Miguel a inscribirse en el colegio?

Ejercicio B. Para escribir.

1. Escriba una carta a un amigo o familiar explicando sus planes para el futuro.
2. Miguel es un joven que después de estar en varios trabajos, se dio cuenta del valor de la educación. ¿ Conoce o sabe usted de alguien que haya tenido una experiencia similar? Si es así, relátela y cuente los resultados.
4. ¿Qué estudia usted? ¿Por qué escogió esta carrera? Elabore.
5. ¿Logrará usted recibirse algún día? ¿Cuánto tiempo cree que le tomará? Elabore.
6. ¿Qué piensa usted de su plantel educativo? ¿Le ayuda el personal del colegio para superar los problemas que usted tiene para lograr recibirse?

SEGUNDA SECCION: LOS TIEMPOS VERBALES

PRIMERA PARTE

CAPITULO 3

Definiciones verbales
Infinitivo
Gerundio
Tiempo presente

Tipos chicanos

Aunque nosotros los chicanos detestamos los estéreotipos, desafortunadamente somos culpables de crear algunos acerca de nosotros mismos; como resultado, nos desacreditamos. Es común el estereotipo del chicano envidioso. Se dice que no podemos ver a alguien de nuestra propia "raza" progresar en su trabajo; que tan pronto recibe un ascenso, deseamos quitarlo de su nuevo puesto con críticas negativas. Empiezan los rumores de que una vez que lo han ascendido se considera superior a su propia gente y que trata a la "raza" peor que el anglosajón. Un segundo estéreotipo, que se deriva del primero, es el comentario de que para la "raza" es mejor tener como jefe a un anglo que a un chicano. Los que apoyan este estéreotipo dicen que un jefe chicano es más exigente que un jefe anglosajón. Una de las razones, dicen, es porque quiere "quedar bien" con sus superiores, que con frecuencia son anglos, y no con sus antiguos compañeros. Un tercer estéreotipo es de que un jefe chicano respeta más a los trabajadores anglosajones que a los chicanos. Según los críticos, esta actitud se debe a que piensa que puede manipular a su grupo étnico pero no al anglosajón. Estos estéreotipos son tan populares que se han creado crueles bromas y anécdotas como la siguiente.

Un hombre está pescando cangrejos. Un amigo se acerca para conversar y nota que el pescador ya tiene dos cubetas llenas. Lo que le intriga es que su amigo tenga una cubeta tapada y otra destapada. Cuando le pregunta acerca de esta peculiaridad, el pescador le contesta, "Mira, esta cubeta tapada contiene cangrejos anglos. Estos se ayudan entre ellos, se empujan hacia arriba, y se escapan; pero estos que tengo destapados no me preocupan. Son cangrejos chicanos. Cuando uno quiere salirse, los demás lo jalan y se lo impiden".

Los que aceptan el primer estéreotipo --que somos muy envidiosos--, aseguran que sí es cierto que somos un grupo envidioso. El segundo estereótipo (más vale tener como jefe a un anglosajón que a un chicano) y el tercero (un jefe chicano trata mejor a los trabajadores anglosajones que a los chicanos) también tiene sus adeptos, y aseguran que un chicano en un puesto de autoridad sí es a veces más exigente con su propia raza que con otra; que por esta razón hay chicanos que prefieren un jefe anglo a un chicano. Para respaldar sus comentarios dan ejemplos de su propia experiencia. Añaden que también es cierto que un jefe chicano no se preocupa por cultivar la buena voluntad de sus empleados chicanos. Percibe que ya la tiene porque son de su propia raza. No se da cuenta que los empleados chicanos resienten tal actitud. Se sienten desairados y hasta menospreciados por su jefe, especialmente cuando estos mismos empleados ven el trato tan respetuoso que se le da al empleado anglo.

45 Los chicanos que aceptan los estéreotipos proponen que si reconocemos nuestros defectos podremos evitarlos y mejorar nuestra posición en la sociedad. Dicen, por ejemplo, que si un jefe chicano no responde a las necesidades de su propia gente se le debe decir para que cambie de actitud. Si no cambia, no debe estar en un puesto de 50 autoridad especialmente si este puesto sirve a una mayoría de chicanos. Enfatizan que si no se apuntan estos defectos para así encontrar una solución positiva, seguirá la falta de unidad entre los chicanos y continuaremos fuera de de la modernidad estadounidense.

Hay otros grupos que aceptan los estéreotipos pero los ven 55 desde otro punto de vista. Por ejemplo dicen que muchas veces cuando un jefe chicano es ascendido, este no exige ni más ni menos que el jefe anterior. Lo que ocurre es que los aniguos compañeros esperan favoritismo. Cuando no lo reciben, critican al nuevo jefe. No se dan cuenta que este jefe está pidiendo la misma calidad y cantidad 60 de trabajo que el antiguo. Dicen también que estos jefes chicanos no reciben por parte de sus subalternos chicanos el mismo respeto que le confieren a un jefe anglo. Para mejorar la situación tiene que haber respeto mutuo.

Aquellos que rechazan estos estéreotipos dicen que son 65 imágenes negativas que solamente sirven para perjudicarnos a nosotros mismos. Añaden que nosotros no nos diferenciamos de otros grupos; que somos como cualquier ser humano con sus cualidades y defectos. Dicen que es necesario que dejemos de criticarnos porque no progresaremos y continuaremos en los Estados 70 Unidos como una minoría oprimida. Afirman que necesitamos crear imágenes positivas que contribuyan a la unión de nuestra gente.

Ejercicio A. Llene el espacio en blanco con una de las palabras de la lista.

ascendencia	cubeta	estéreotipo	modernidad	rechazado
cangrejo	desairado	frecuente	percatarse	subalternos

1. Llena la _______________ con agua.

2. ¿Es cierto que el __________________ camina hacia atrás?

3. Manuel es de __________________ cubana.

4. Como no lo invitaron a la fiesta se sintió _________________________.

5. Un __________________ es una caricatura negativa de un individuo.

6. Se siente ___________________ porque no lo invitaron a la cena.

7. En el pasado, era ___________________ el estéreotipo del chicano perezoso.

8. Es importante ______________ que la falta de unidad perjudica a los chicanos.

9. Las minorías están muy marginadas. Es necesario luchar para entrar en la ____________.

10. Los ___________________ con frecuencia critican a sus jefes.

Ejercicio B. Conteste las siguientes preguntas.

1. ¿Qué es un estéreotipo?
2. ¿Cuáles son tres comentarios negativos acerca de los chicanos?
3. ¿Por qué está tapada solamente una cubeta de cangrejos?
4. ¿Cuál es la moraleja de la anécdota de los cangrejos?
5. ¿Qué dicen los que rechazan los comentarios negativos acerca de los chicanos?
6. ¿Qué dicen los que aceptan los estéreotipos chicanos?
7. ¿Qué debe hacer un chicano en un puesto de autoridad?

Ejercicio C. Para escribir. (Escriba por lo menos una página. Antes de hacerlo, vaya a la biblioteca e investigue el tema.)

1. ¿Cree que los chicanos somos envidiosos entre nosotros mismos, o que somos como cualquier grupo étnico? Explique su opinión
2. ¿Cree usted que es mejor para los chicanos tener un jefe anglo o un jefe chicano? Explique su opinión.
3. ¿Cree usted que un jefe chicano procura cultivar más la amistad de los empleados anglos que la amistad de los empleados chicanos? Explique su opinión.
4. ¿Cree usted que si los chicanos nos autoanalizamos lograremos mayor unidad? Explique su opinión.
5. ¿Conoce otros estéreotipos que los chicanos hagan de sí mismos? ¿Cuáles? ¿Considera usted que estos estéreotipos perjudican a los chicanos? ¿Por qué?
6. ¿Conoce usted otros estéreotipos que se hagan de los chicanos? ¿Cuáles? ¿Qué piensa usted de ellos?

Anuncios ponen sobreaviso a los inmigrantes acerca de los peligros del desierto

El cruzar el desierto sonorense puede causar la muerte. La Patrulla Fronteriza de los Estados Unidos y el Consulado Mexicano en Tucson, Arizona se han unido para advertir a la gente del peligro. El agente en jefe de inmigración fronteriza expresó que un esfuerzo común empezará de inmediato para poner avisos de peligro a lo largo (5) de zonas de altas temperaturas que son transitadas por inmigrantes ilegales. Los avisos informarán a la gente que decida cruzar el desierto que la escasez de agua podría ser fatal. Dijo el agente, "Sería una ingenuidad pensar que unas cuantas papeletas harán desistir a la gente de internarse ilegalmente a los Estados Unidos. El propósito de (10) este proyecto es salvar vidas".

Los avisos en español, leen: "La falta de agua y las altas temperaturas en el desierto pueden causar la muerte. Para su propia seguridad, no intente cruzarlo". Este es el tercer año de colaboración en el proyecto. Las muertes debido a las altas temperaturas han (15) estado disminuyendo. "El año pasado fue un buen año .... Nos gustaría creer que el esfuerzo de cooperación tuvo algo que ver", dijo el agente. En julio de 1980, de 27 salvadoreños 13 murieron mientras intentaban cruzar el desierto sonorense cerca de Ajo.

Ejercicio A. Llene el espacio en blanco con una de las palabras de la lectura.

1. Una persona del estado de Sonora es ____________________.

2. Por lo general, las avenidas principales son muy ____________________.

3. En el desierto hay ______________________ de agua.

4. Es una ______________ pensar que puedo aprobar el curso sin estudiar.

Ejercicio B.
1. ¿Cuál es el propósito de los anuncios?
2. ¿A qué se deben las muertes en el desierto?
3. ¿Cuántos salvadoreños murieron en 1980? ¿Por qué?
4. ¿Está resultando de beneficio el programa?
5. ¿Cuántos años de existencia lleva el programa?

Ejercicio C. Para escribir.
1. Describa un incidente donde hayan muerto ilegales y dé su opinión del incidente.
2. Describa un incidente donde se haya cometido una injusticia hacia alguien y dé su opinión.

Los teléfonos celulares y el parloteo público

Conteste su llamada en su teléfono celular y quizá le pidan que se vaya a conversar a la acera.

Los teléfonos portátiles se están prohibiendo en algunos cines. Ha habido tantos teléfonos sonando en los cines Wometco 17 en Florida que la empresa ha pedido a los fanáticos telefonistas que cuelguen. Comentaba el gerente general que "Uno de los que asistían a la función habló durante cinco minutos. No deseamos ser policías, pero deseamos que la gente no traiga sus teléfonos dentro del cine. Si suena, le pedimos que se vaya al vestíbulo". Las ganas que tiene la gente de platicar quizá también cause que los encargados de restaurantes hagan lo mismo que en los cines. Los clientes en el restaurante de alta categoría Le Cirque de Nueva York, con frecuencia encargan su teléfono, con su abrigo de pieles, en el vestíbulo. El dueño del restaurante, Maccioni, insiste en ello. "La gente viene aquí por la comida y la tranquilidad. En caso de emergencia, haremos cualquier cosa, pero no podemos tener a la gente llevando a cabo sus negocios desde el restaurante". Maccioni dijo que él no anticipaba tener que dividir a sus clientes en secciones de "llamadas" y "no llamadas", pero se sospecha que no está muy lejano el día que así sea si continúa la tendencia de los teléfonos celulares.

Ejercicio A. Llene el espacio en blanco con una de las palabras de la lista.
acera asista clientes empresa lejano parloteo vestíbulo

1. Es importante que yo ________________ a la junta de la ______________.

2. Se puede fumar en el ___________________.

3. No vayas por la calle. Súbete a la ________________.

4. Nosotros somos _________________ de ese restaurante.

5. El _________________ me aburre.

Ejercicio B. Conteste las siguientes preguntas.

1. ¿Qué está haciendo en algunos cines la empresa? ¿Por qué?
2. ¿Qué hacen los clientes de Le Cirque?
3. ¿Qué buscan los clientes en un restaurante según Maccioni?

Ejercicio C. Escriba un breve párrafo para cada pregunta.

1. ¿Deben los lugares públicos poner zonas donde se pueda utilizar el teléfono celular?
2. ¿Qué piensa usted de los teléfonos celulares? ¿Le gustaría tener uno? ¿Por qué?

I. DEFINICIONES

1. Pronombres Personales.

PRONOMBRES PERSONALES

Persona	**Singular**	**Plural**
Primera	Yo	Nosotros, -as
Segunda	Tú (Informal) Usted (Formal)	Vosotros, -as (Informal) Ustedes (Formal)
Tercera	El Ella	Ellos Ellas

2. Verbo.
El verbo es una de las principales partes de la oración (la otra parte importante es el sujeto). Expresa acción, esencia, o emotividad.

3. Infinitivo.
A. La forma básica del verbo.
B. Siempre termina en -ar, -er, -ir (hablar, comer, salir).
C. Es de la primera conjugación cuando termina en -ar; es de la segunda conjugación cuando termina en -er; es de la tercera conjugación cuando termina en -ir.
D. Tiene dos partes: raíz y terminación. La terminación siempre es la -ar, -er, o -ir; la raíz es lo que sobra.
E. Tiene solamente significado; es decir, no tiene tiempo ni persona

4. Tiempo.
La forma que toma el verbo para significar la época en que sucede lo que se declara. *hablo* (presente), *hablé* (pasado), *hablaré* (futuro)

5. Verbo conjugado.
Presentar un verbo en la serie ordenada de sus inflexiones (personas y tiempos).

6. Terminaciones o desinencias.
Las letras que se le ponen a un infinitivo para que se haga un tiempo.
hablar - hablo, hablas, habla, hablamos, habláis, hablan. (presente)
hablar - hablaré, hablarás, hablará, hablaremos, hablaréis.(futuro)

7. Verbos regulares e irregulares.
Para crear una forma verbal, hay reglas. Cuando se siguen las reglas y el verbo está deletreado correctamente, se dice que el verbo es regular; pero si el verbo no está deletreado correctamente, se dice que el verbo es irregular.

II. EL INFINITIVO

Identifique los infinitivos de la 1era. , 2nda. y 3era. conjugación.

INFINITIVOS		
cerrar	recibir	poder
empezar	dormir	entender
contar	sentir	pedir
negar	mentir	escribir
traer	pensar	oír
leer	recordar	morir
querer	despertar	producir
perder	hacer	decir
venir	creer	caer
seguir	leer	

III. EL TIEMPO PRESENTE

1. VERBOS REGULARES: 1era., 2nda. y 3era conjugación (-ar, -er, -ir).
   Para formar el presente de los verbos regulares se toma la raíz del infinitivo y se le añaden la terminaciones que están en el cuadro.

	HABLAR	COMER	VIVIR
yo	habl-**o**	com-**o**	viv-**o**
tú	habl-**as**	com-**es**	viv-**es**
usted, él, ella	habl-**a**	com-**e**	viv-**e**
nosotros, -as	habl-**amos**	com-**emos**	viv-**imos**
vosotros, -as	habl-**áis**	com-**éis**	viv-**ís**
ustedes, ellos, ellas	habl-**an**	com-**en**	viv-**en**

Ejercicio. Conjugue los siguientes verbos en el presente en todas las personas.

trabajar ____

opinar ____

presentar ____

culpar ____

acariciar ____

llevar ____

cortejar ____

copiar ____

aprender ____

esconder ____

prometer ____

unir ____

decidir ____

escribir ____

subir ____

lavar ____

planchar ____

1.1. Verbos regulares: leer, creer.

leer	**creer**
leo	creo
lees	crees
lee	cree
leemos	creemos
leéis	creéis
leen	creen

2. Verbos irregulares de la 2nda conjugación (-er)

caer	**traer**	**hacer**	**ser**
caigo	traigo	hago	soy
caes	traes	haces	eres
cae	trae	hace	es
caemos	traemos	hacemos	somos
caéis	traéis	hacéis	sois
caen	traen	hacen	son

poner	**tener**	**conocer**	**parecer**	**saber**
pongo	tengo	conozco	parezco	sé
pones	tienes	conoces	pareces	sabes
pone	tiene	conoce	parece	sabe
ponemos	tenemos	conocemos	parecemos	sabemos
ponéis	tenéis	conocéis	parecéis	sabéis
ponen	tienen	conocen	parecen	saben

2.1. Verbos irregulares de la 3era conjugación (-ir)

I > Y

oír	**construir**	**destruir**	**incluir**
oigo	construyo	destruyo	incluyo
oyes	construyes	destruyes	incluyes
oye	construye	destruye	incluye
oímos	construimos	destruimos	incluimos
oís	construís	destruís	incluís
oyen	construyen	destruyen	incluyen

C > Z

conducir	**introducir**	**producir**	**traducir**
conduzco	introduzco	produzco	traduzco
conduces	introduces	produces	traduces
conduce	introduce	produce	traduce
conducimos	introducimos	producimos	traducimos
conducís	introducís	producís	traducís
conducen	introducen	producen	traducen

2.2. Verbos radicales.

Los verbos radicales son verbos irregulares. En el tiempo presente, una de las vocales de la raíz cambia de **o > ue**, **e > ie**, o **e >i**. El cambio ocurre en todas las personas excepto en la primera persona plural (nosotros) y en la segunda persona plural informal (vosotros).

O > UE

acostar	**apostar**	**probar**	**contar**
acuesto	apuesto	pruebo	cuento
acuestas	apuestas	pruebas	cuentas
acuesta	apuesta	prueba	cuenta
acostamos	apostamos	probamos	contamos
acostáis	apostáis	probáis	contáis
acuestan	apuestan	prueban	cuentan

recordar	**soñar**	**volar**	**morder**
recuerdo	sueño	vuelo	muerdo
recuerdas	sueñas	vuelas	muerdes
recuerda	sueña	vuela	muerde
recordamos	soñamos	volamos	mordemos
recordáis	soñáis	voláis	mordéis
recuerdan	sueñan	vuelan	muerden

mover	**poder**	**torcer**	**volver**	**dormir**
muevo	puedo	tuerzo	vuelvo	duermo
mueves	puedes	tuerces	vuelves	duermes
mueve	puede	tuerce	vuelve	duerme
movemos	podemos	torcemos	volvemos	dormimos
movéis	podéis	torcéis	volvéis	dormís
mueven	pueden	tuercen	vuelven	duermen

E > IE

despertar	**pensar**	**querer**	**preferir**
despierto	pienso	quiero	prefiero
despiertas	piensas	quieres	prefieres
despierta	piensa	quiere	prefiere
despertamos	pensamos	queremos	preferimos
despertáis	pensáis	queréis	preferís
despiertan	piensan	quieren	prefieren

sentir	**tropezar**	**venir***	**tener***
siento	tropiezo	vengo	tengo
sientes	tropiezas	vienes	tienes
siente	tropieza	viene	tiene
sentimos	tropezamos	venimos	tenemos
sentís	tropezáis	venís	tenés
sienten	tropiezan	vienen	tienen

(*venir y tener cambian a "g")

E > I

decir	**pedir**	**seguir**	**servir**	**elegir**	**reír**
digo	pido	sigo	sirvo	elijo	río
dices	pides	sigues	sirves	eliges	ríes
dice	pide	sigue	sirve	elige	ríe
decimos	pedimos	seguimos	servimos	elegimos	reímos
decís	pedís	seguís	servís	elegís	reís
dicen	piden	siguen	sirven	eligen	ríen

****

Ejercicio A. Conteste las siguientes preguntas en el tiempo presente en la primera persona plural utilizando el verbo subrayado.

1. ¿Qué quieren hacer? _______________ hacer la tarea.

2. ¿Se sienten bien? No, nos _______________ mal.

3. ¿Cuál película prefieren? _______________ "El Padrino".

4. ¿A qué hora vienen del cine? _______________ como a las dos.

5. ¿Qué cuentan? _______________ los puntos de las calificaciones.

6. ¿A qué hora se duermen? Nos _______________ a las once.

7. ¿Pueden ir conmigo hoy? No, no _______________.

8. ¿Hoy vuelven tarde o temprano? _______________ temprano.

9. ¿Oyen el ruido? Sí, lo _______________.

10. ¿Recuerdan la combinación? Si la _______________.

Ejercicio B. Llene el blanco poniendo en el tiempo presente el infinitivo que está entre paréntesis.

1. El (traer) _______________ los uniformes nuevos.

2. Nosotros (leer) _______________ las noticias diariamente.

3. Ellos se (caer) _______________ cada rato.

4. Los profesores (creer) _______________ que nosotros (ser) _______________ muy inteligentes.

5. Nosotros no (traer) _______________ la ropa planchada.

IV. EL GERUNDIO

1. LA FORMACIÓN DEL GERUNDIO: VERBOS REGULARES.

El gerundio se forma tomando la raíz del infinitivo y añadiéndole **-ando** si es "-ar" o **-iendo** si es "-er" o "-ir".

INFINITIVO	**GERUNDIO**
habl**ar**	habl**ando**
com**er**	com**iendo**
sal**ir**	sal**iendo**

Ejercicio. Dé el gerundio de los siguientes infinitivos.

1. perder ____________________ 3. invitar ____________________

2. caminar ____________________ 4. recibir ____________________

1.1. GERUNDIOS IRREGULARES

I > Y (-iendo > -yendo)

Cuando se le quita la "-er" o " -ir" a un infinitivo *y la raíz termina en vocal*, la "i" de "iendo" cambia a "y" ("yendo").

traer - trayendo
caer - cayendo
ir - yendo
incluir -incluyendo
destruir - destruyendo
creer - creyendo
leer - leyendo
oír - oyendo
construir - construyendo
obstruir - obstruyendo

E > I (cambia la vocal de la raíz)

decir - diciendo
preferir - prefiriendo
sentir - sintiendo
servir - sirviendo
corregir - corrigiendo
pedir - pidiendo
seguir - siguiendo
venir - viniendo
hervir - hirviendo
elegir - eligiendo
reír - riendo

O > U (cambia la vocal de la raíz)

dormir - durmiendo morir - muriendo poder - pudiendo

Ejercicio A. Escriba el gerundio de los siguientes infinitivos.

1. negar ______________
2. entender ___________
3. preguntar __________
4. escribir ___________
5. desear _____________
6. despertar __________
7. contar _____________
8. copiar _____________
9. preocupar __________
10. pelear _____________
11. contestar __________
12. abrir ______________
13. decidir ____________
14. esperar ____________
15. dejar ______________
16. producir ___________
17. perder _____________
18. hacer ______________
19. cerrar _____________
20. llegar _____________
21. saber ______________
22. recoger ____________
23. estudiar ___________
24. comer ______________
25. salir ______________
26. invitar ____________
27. caminar ____________
28. llorar _____________
29. saltar _____________
30. cortar _____________
31. lavar ______________
32. permitir ___________
33. cocinar ____________
34. verificar __________
35. traer ______________
36. dormir _____________

V. EL PRESENTE PROGRESIVO

El presente progresivo se forma conjugando el verbo estar, seguir, o continuar en el tiempo presente y añadiéndole el gerundio.

estoy hablando	sigo hablando	continúo hablando
estás hablando	sigues hablando	continúas hablando
está hablando	sigue hablando	continúa hablando
estamos hablando	seguimos hablando	continuamos hablando
estáis hablando	seguís hablando	continuáis hablando
están hablando	siguen hablando	continúan hablando

Ejercicio A. Llene el espacio en blanco con el presente progresivo del infinitivo que está entre paréntesis.

1. Felipe y Raúl (oír) ________________ el disco de Polo Urías.
2. ¿Tú (ir) ______________________ todavía a la universidad?
3. Los muchachos (dormir) ____________________________.
4. La construcción del nuevo edificio (obstruir) _______________________ la calle.
5. Yo (leer) ______________________ una nueva novela.
6. Los empleados (pedir) _______________________ otro aumento.
7. Los muchachos ya se (venir) _______________________ de la casa.
8. María se (sentir) _________________________________ enferma.
9. El profesor ya te (incluir) ______________________ en la lista de clase.
10. Tú (conducir) __________________________ muy descuidadamente.
11. Yo (salir) ____________________ del trabajo muy temprano.
12. Esta semana yo (trabajar) __________________ demasiado.

REPASO

I. Llene el espacio en blanco con el tiempo presente del infinitivo entre paréntesis.

1. Tú (creer) ______________ todo lo que te dicen.

2. Tus trabajadores no (traer) ______________ todo el equipo.

3. Si no tienes cuidado, te (caer) ______________.

4. Tú (traer) ______________ el dinero, ¿no?

5. Tú (leer) ___________ ese libro con mucho interés.

6. Nosotros (incluir) ______________ a todos los estudiantes en la lista de invitados.

7. Nosotros (oír)______________ las noticias en el radio.

8. Estos campos (producir) ______________ mucho maíz.

9. Nosotros (traducir) ______________ del inglés al español.

10. Nosotros no (abrir) ______________ el regalo todavía.

11. Nosotros nos (salir) ______________ de casa temprano.

12. ¿Por qué no (decidir) ______________ tú y yo lo que vamos a hacer?

II. Conjugue en el tiempo presente, en todas las personas, los siguientes infinitivos.

leer	caer	hacer	introducir
__________	__________	__________	__________
__________	__________	__________	__________
__________	__________	__________	__________
__________	__________	__________	__________
__________	__________	__________	__________
__________	__________	__________	__________

oír	incluir	decir	sentir
__________	__________	__________	__________
__________	__________	__________	__________
__________	__________	__________	__________
__________	__________	__________	__________
__________	__________	__________	__________
__________	__________	__________	__________

III. Llene el espacio en blanco con el presente progresivo del verbo entre paréntesis.

1. Tú (conducir) ____________________________ muy descuidadamente.
2. En la ciudad se (construir) ________________________________ nuevas carreteras.
3. En ese restaurante se (servir) ___________________________ muy buena comida.
4. Ese auto (obstruir) ______________________________ el tráfico.
5. El agua ya (hervir) ____________________________.
6. Las lluvias (destruir) ___________________________ los jacales.
7. Ya se (corregir) _________________________________ los errores.
8. El nuevo jefe (exigir) ____________________________ demasiado.
9. Yo (poner) _______________________________ los papeles en orden.
10. Yo (ver) ___________________________________ cómo funciona la computadora.
11. En este momento, yo no (hacer) ____________________________ nada.
12. ¿Por qué (estudiar) ___________________________ tú tan temprano?
13. Yo creo lo que ellos me (decir) ______________________________.
14. Los muchachos se (preparar) _____________________________ para la competencia.

15. Yo (comprar) ______________________ un automóvil.

16. Ahora él (comer) ________________________ menos que antes.

IV. Cambie las siguientes oraciones al presente progresivo.

1. El perro se come toda la carne. ____.

2. Los niños ayudan a sus padres. ____.

3. Yo hago lo que dice mi jefe. ____.

4. Juan corta el zacate. ____.

V. Conteste las siguientes preguntas.

1. ¿Cuáles son los pronombres personales? ____________________________________.

2. ¿Cuáles son las dos partes de un infinitivo? _________________________________.

3. ¿Cuáles son las terminaciones de un infinitivo? ______________________________.

4. ¿Cómo se forma el gerundio de los verbos de la primera conjugación?

____.

5. ¿Cuáles son las terminaciones del tiempo presente de los verbos de la tercera conjugación?

____.

6. ¿En que persona(s) se diferencian las terminaciones del tiempo presente de los verbos de la segunda y tercera conjugación?

____.

7. ¿Qué es un verbo regular? ____.

8. ¿Cuáles son los cambios de los verbos radicales? ____________________________.

9. ¿En qué personas cambian los verbos radicales? _____________________________.

CAPITULO 4

Pretérito
Imperfecto

Anécdotas de robos de autos

1. Cuando me robaron mi automóvil, traía en él cuatro rifles, ropa y mi celular. Desde mi casa marqué el número del celular. ¡Me contestaron los ladrones¡ Les dije que quería comprarles mi auto porque no estaba asegurado ni las pertenencias que había dejado en él. Intentamos llegar a un acuerdo. Me dijeron que me llamarían después o que los llamara yo. Los llamé al día siguiente. Habían decidido no vendérmelo. La razón que me dieron fue que acababan de robarse otro auto que traía 8,000 dólares bajo uno de los asientos; que habían tenido un día con mucha suerte y que si me devolvían mi auto, aunque me lo vendieran, a lo mejor les traería mala suerte. Me dieron las gracias porque la ropa les había quedado muy bien.

2. Mi hermana y yo no nos habíamos visto desde hacía días y decidimos ir de compras para platicar. Nos encontramos en un centro comercial donde nos pasamos todo el día. Cuando salimos al estacionamiento, ella no recordaba dónde habíamos dejado el auto. Lo buscamos durante mucho tiempo. Finalmente, mi hermana comenzó a llorar porque nos dimos cuenta que su auto había sido robado. Llamé a la policía y mientras yo les daba la información, mi hermana --que seguía llorando--, me dijo (avergonzadísima) en voz muy baja, "Hermana, no trajimos mi auto. Traje la camioneta de mi esposo, y está en mero enfrente de nosotros".

3. Una mañana de julio a las 5:20 a.m., salí como de costumbre a recoger el periódico. Medio dormido pensé: "¿Qué hay de raro con este escenario? ¡Ajá! ¡No tengo que meterme abajo del Oldsmobile para recoger el periódico!" Entré a la casa para darle la mala noticia a mi soñolienta esposa de que su auto había sido robado. La buena noticia, le dije, era que el mío todavía estaba ahí. Mi carro no valía la pena robárselo. ¡Se puso histérica! Llamé a la policía los cuales tomaron la información, y no parecieron muy sorprendidos por el robo. Mi esposa, por el contrario, me hizo que lo buscara por todo el barrio. ¿Qué pensaría? ¿Qué yo lo habría estacionado en la casa equivocada? No niego que de vez en cuando no sabré donde dejo las llaves o mis calcetines, ¿pero un carro? ¡Ni que estuviera loco!

La satisfacción que me quedó es que todavía tengo en mi poder las llaves del famoso candado "The Club" que teníamos debajo del asiento del Oldsmobile.

4. Una tarde, pasada la Navidad, mi esposo y yo decidimos ir a tirar el árbol en nuestra camioneta F150. Cuando quisimos echarla a andar, no pudimos. Estaba descargada la batería. Después de intentar pasarle corriente varias veces, no arrancó. La estacionamos enfrente de nuestra casa. Mi esposo quitó la batería para darle carga dentro de la casa. Al día siguiente por la mañana salió a ponerla, pero la camioneta ya no estaba. Se la habían robado. Todavía es un misterio para la policía, la compañía de seguros, y para nosotros el cómo se la robarían. Lo único que se nos ocurre es que probablemente usaron un remolque para llevársela.
P.D.
Todavía tenemos la batería.

Ejercicio A. Llene el espacio en blanco con una palabra de la lista.

batería	camioneta	candado	centro	comercial
descargada	escenario	pertenencias	remolque	soñolienta

1. El coche no arranca porque la _________________ está _________________.

2. La zona ___________________ está en el _______________ de la ciudad.

3. Se robaron la ___________________ usando un _________________.

4. Hay que poner un ___________________ para proteger nuestras __________________.

Ejercicio B. Conteste las siguientes preguntas.

1. ¿Qué traía en el auto además del teléfono celular?
2. ¿Quiénes le contestaron al dueño del auto cuando llamó?
3. ¿Qué quería el dueño del autómovil? ¿Por qué?
4. ¿Qué encontraron los ladrones en otro auto robado?
5. ¿Logró el dueño del auto lo que quería? ¿Por qué?
6. ¿Dónde se reunieron las hermanas?
7. ¿Adónde salieron a buscar el auto?
8. ¿Cuál fue la reacción de la joven cuando no encontró el auto?
9. ¿A quién llamó por teléfono la joven?
10. ¿Qué le dijo en voz baja su hermana?
11. ¿A qué hora salió el joven de su casa?
12. ¿Qué salió a recoger?
13. ¿Qué se le hizo raro?
14. ¿Qué le había pasado a su Oldsmobile?
15. ¿Cuál fue la buena noticia que le dio a su esposa?
16. ¿Cómo se puso la esposa?
17. ¿Por qué no se robaron el carro del esposo?
18. ¿Qué extravía el joven de vez en cuando?
19. ¿Qué satisfacción le quedó?
20. ¿Por qué no arrancó la camioneta F150?
21. ¿En qué parte de la casa estacionaron la camioneta?
22. ¿Qué hizo la pareja con la batería?
23. ¿Por qué no pudieron poner la batería a la camioneta al día siguiente?
24. Si la camioneta no tenía batería, ¿Cómo se la robaron?
25. ¿Con qué se quedó la pareja de la camioneta?

Actividades: Escriba media página en la computadora acerca de los temas a continuación.

1. Cuente un incidente de un robo y las sensaciones que experimentó usted o la víctima.
2. Todos sabemos que la persona o personas que sufren un acto de violencia no lo ven humorísticamente. Cuente un acto de violencia que usted conozca, y detalle sus impresiones.

I. EL TIEMPO PRETERITO

1. VERBOS REGULARES: 1era, 2nda, y 3era conjugación (-ar, -er, -ir).

Para formar el pretérito de los verbos regulares se toma la raíz del infinitivo y se le añaden la terminaciones que están en el cuadro.

	HABLAR	COMER	VIVIR
yo	habl-**é**	com-**í**	viv-**í**
tú	habl-**aste**	com-**iste**	viv-**iste**
usted,él ella	habl-**ó**	com-**ió**	viv-**ió**
nosotros, -as	habl-**amos**	com-**imos**	viv-**imos**
vosotros, as	habl-**asteis**	com-**isteis**	viv-**isteis**
ustedes, ellos, ellas	habl-**aron**	com-**ieron**	viv-**ieron**

Ejercicio. Conjugue los siguientes verbos en el pretérito en todas las personas.

1. opinar ____

2. presentar ____

3. culpar ____

4. aprender ____

5 recibir ____

6. escribir ____

7. trabajar ____

8. desear ____

9. correr ____

10. preparar ____

11. copiar ____

2. VERBOS IRREGULARES

2.1. Los siguientes verbos son irregulares. Todos cambian a "u" o "i". Note como las terminaciónes de la primera persona singular (yo) y tercera persona singular (él) no llevan acento.

INFINITIVO	CAMBIO	TERMINACION
poder	**pud-**	
andar	**anduv-**	-e
estar	**estuv-**	-iste
poner	**pus-**	-o
saber	**sup-**	-imos
tener	**tuv-**	-isteis
venir	**vin-**	-ieron
hacer*	**hic-**	
querer	**quis-**	

*La tercera persona singular de **hacer** se escribe con **z** : **hizo.**

Ejercicio. Llene el espacio en blanco con el pretérito.

1. Ayer tú (venir) __________________ casi a las cinco.
2. ¿Con quién (andar) _______________ tú por el parque?
3. Juanita ya (hacer) ____________________ la tarea.
4. Tú no (querer) _______________ venir con nosotros.
5. Anoche nos (estar) ____________________ en la biblioteca hasta muy tarde.
6. Yo no (saber) __________________ dónde (poner) ________________ ustedes la herramienta.
7. Pedro no (querer) ____________________ ir al cine.
8. Nosotros no (poder) ____________________ quedarnos a la función.
9. La semana pasada tú (poner) ____________________ el dinero en el banco.
10. Ayer nos (venir) ____________________ temprano del trabajo.

2.2. Verbos irregulares: **e > i, o > u, i > y**
En los siguientes infinitivos cambia la vocal de la raíz en la tercera persona singular (él) y en la tercera persona plural (ellos) de "e" a "i", "o" a "u", "i" a "y".

E > I

hervir	**preferir**	**sentir**
herví	preferí	sentí
herviste	preferiste	sentiste
hirvió	prefirió	sintió
hervimos	preferimos	sentimos
hervisteis	preferisteis	sentisteis
hirvieron	prefirieron	sintieron

seguir	**servir**	**pedir**	**reír**
seguí	serví	pedí	reí
seguiste	serviste	pediste	reíste
siguió	sirvió	pidió	rio
seguimos	servimos	pedimos	reímos
seguisteis	servisteis	pedisteis	reísteis
siguieron	sirvieron	pidieron	rieron

O > U

dormir	**morir**
dormí	morí
dormiste	moriste
durmió	murió
dormimos	morimos
dormisteis	moristeis
durmieron	murieron

I > Y

caer	**creer**	**leer**
caí	creí	leí
caíste	creíste	leíste
cayó	creyó	leyó
caímos	creímos	leímos
caísteis	creísteis	leísteis
cayeron	creyeron	leyeron

(i > y (cont.)

oír	**incluir**	**construir**
oí	incluí	construí
oíste	incluiste	construiste
<u>oyó</u>	<u>incluyó</u>	<u>construyó</u>
oímos	incluimos	construimos
oísteis	incluisteis	construisteis
<u>oyeron</u>	<u>incluyeron</u>	<u>construyeron</u>

2.3. Verbos irregulares: **c > j**
Los infinitivos que terminan en "-cir" cambian a **j** en el pretérito en todas las personas. Note también como la segunda y tercera persona plural (ustedes y ellos) llevan la sílaba **je** no **jie**.

C > J

conducir	**introducir**	**producir**
conduje	introduje	produje
condujiste	introdujiste	produjiste
condujo	introdujo	produjo
condujimos	introdujimos	produjimos
condujisteis	introdujisteis	produjisteis
<u>condujeron</u>	<u>introdujeron</u>	<u>produjeron</u>

traducir	**decir**
traduje	dije
tradujiste	dijiste
tradujo	dijo
tradujimos	dijimos
tradujisteis	dijisteis
<u>tradujeron</u>	<u>dijeron</u>

Traer también cambia a "j" en todas las personas: traje, trajiste, trajo, trajimos, trajisteis, <u>trajeron</u>

2.4. Verbos irregulares: **ser, ir**
Ser e **ir** son iguales en el tiempo pretérito: *fui, fuiste, fue, fuimos, fuisteis, fueron*

REPASO

Ejercicio A: Llene el espacio en blanco con el tiempo pretérito.

1. ¿(Hablar) ____________ usted con Miguel?
2. Ayer tú (comer) ____________ temprano.
3. ¿(Salir) ____________ usted tarde de casa?
4. ¿Por qué no (escribir) ____________ tú la carta?
5. Esta mañana tú (leer) ____________ muy bien en clase.
6. Usted no (pensar) ____________ que la prueba sería tan difícil.
7. Usted (encontrar) ____________ los libros donde usted los (dejar) ___________.
8. Anoche tú (estudiar) ____________ mucho.
9. Cuando usted (salir) ____________, (dejar) ____________ la puerta abierta.
10. ¿Usted (cerrar) ____________ el auto con llave?
11. ¿Hasta qué hora (trabajar) ____________ tú anoche?
12. ¿Dónde (vivir) ____________ usted el año pasado?
13. Tú (aprobar) ____________ el examen con una buena calificación.
14. Hoy tú (salir) ____________ tarde de clase.
15. ¿Por qué no te (quedar) ____________ tú en casa?
16. ¿(Comprar) ____________ usted las aspirinas?
17. ¿Tú (coser) ____________ la ropa?
18. ¿(Cenar) tú ____________ con tu hermana?
19. ¿(Abrir) ____________ usted el correo?
20. ¿(Ir) ____________ tú al juego anoche?

21. Usted no (creer) ____________________ lo que yo le dije.

22. Tío, anoche yo no lo (sentir) ________________ cuando usted (llegar) _____________.

23. ¿Qué (hacer) ______________ usted después del trabajo?

24. La semana pasada tú no (poder) ______________________ salir de la ciudad.

Ejercicio B. Conjugue los siguientes verbos regulares en el pretérito.

enseñar	entrar	mover	copiar
___________	___________	___________	___________
___________	___________	___________	___________
___________	___________	___________	___________
___________	___________	___________	___________
___________	___________	___________	___________
___________	___________	___________	___________

<u>Ejercicio C</u>. Llene el espacio en blanco con el tiempo pretérito.

1. Ella (hervir) ___________________ el agua.

2. Nos (morir) _____________________ de cansancio.

3. Nosotros no (poder) ________________ descansar.

4. Ellos se (sentir) _______________________ mal.

5. Nosotros nos (dormir) ____________________ tarde.

6. Nosotros (venir) __________________________ anoche de Las Vegas.

7. Ellos (seguir) _____________________________ al líder.

8. Casi nos (morir) _____________________ con esa comida.

9. Tú no (poder) _____________________ asistir a la función.

10. El mesero (servir) ____________________ las bebidas.

11. Yo (preferir) ____________________ el traje azul.

12. El café ya (hervir) ______________________.

13. Yo (seguir) ________________________ las instrucciones.

14. Luis se (sentir) ___________________ enfermo.

15. Esta mañana yo (dormir) _____________________ hasta las diez.

16. Nosotros (preferir) _______________________ no ir al cine.

17. Nosotros (servir) ______________________la cena a las seis.

18. Ayer tú (venir) _______________________ tarde al trabajo.

19. ¿Con quién (andar) _______________________ tú ayer?

20. ¿Tú (saber) _______________ que yo (estar) __________________ a México?

21. Los campos (producir) ________________________ mucho trigo.

22. Nosotros (venir) ____________________ hace una semana.

23. Ayer tú (hacer) _______________________ mucho trabajo.

24. Anoche tú te (ir) ________________________ a la cena.

25. Yo no (oír) _____________________ el grito.

26. Ustedes (incluir) _____________________ el boleto en el precio.

27. ¿(Leer) ____________________ tú los artículos?

28. Ustedes se (dormir) ______________________ muy temprano.

29. ¿Con quién (venir) _______________________ tú al juego?

30. Ayer (venir) _________________________ nosotros por ti.

31. Anoche tú te (salir) ______________________ de la fiesta.

32. Cuando Pedro nos dijo que no estabas, nosotros no le (creer) ________________.

33. ¿A qué hora (venir) __________________ tú anoche?

34. Yo no (oír) ______________ lo que (decir) _________________ los jefes.

35. El (leer) ________________ lo que yo (traducir) ___________________.

36. Ustedes no (traer) ___________________ su auto al taller.

37. Tú (conducir) ______________________ toda la noche.

38. Ustedes no me (oír)_________________ cuando yo (gritar) _________________.

39. Marta (leer) _____________________ la novela anoche.

40. Anoche nosotros (traducir) ___________________ el ensayo.

41. Usted no (creer) _________________ lo que yo le (decir) ________________.

Ejercicio D. Llene los espacios en blanco con el pretérito.

La semana pasada, mis hermanos (1. venir) ______________ a visitarme. Me (2. decir) ____________ que la ciudad era muy bonita. Yo no les (3. creer) ______________ pues esta ciudad nunca me lo ha parecido. Cuando se los (4. decir) ______________, se (5. reír) ______________ . Me (6. decir) ______________ que quizás a ellos le parecía bonito porque yo estaba ahí. Su comentario me (7. producir) ______________ mucha emoción. Les (8. dar) ______________ un fuerte abrazo y les pregunté que cómo le había ido de viaje. Me (9. contestar) ______________ que muy bien. Habían salido a las cinco de la mañana y (10. conducir) ______________ durante ocho horas. Me (11. decir) ______________ que habían hecho todo lo posible por traer a mamá, pero no había podido venir porque había tenido que trabajar. Me (12. decir) ______________, "La carta que tú nos (13. escribir) ______________ diciéndonos que estabas de vacaciones y que viniéramos a verte, nos (14. alegrar) ______________ mucho. Mamá la (15. leer) _________ y (16. decir) que deberíamos venir. Yo (17. asentir) ________________.

Anoche ella se (18. desvelar) __________ porque se (19. ir) ___________ a la tienda a traer harina para hacerte tortillas. Ella te (20. hacer) _______________ muchas. ¡Ah y también te mandó chorizo! Nos (21. recomendar) _______________ mucho que te dijéramos que ella vendrá a verte el mes que entra".

Ejercicio E. Conjugue los siguientes verbos irregulares en el tiempo pretérito.

ir	andar	caer	incluir
__________	__________	__________	__________
__________	__________	__________	__________
__________	__________	__________	__________
__________	__________	__________	__________
__________	__________	__________	__________
__________	__________	__________	__________

hervir	morir	pedir	poder
__________	__________	__________	__________
__________	__________	__________	__________
__________	__________	__________	__________
__________	__________	__________	__________
__________	__________	__________	__________
__________	__________	__________	__________

II. El IMPERFECTO

1. VERBOS REGULARES: 1era., 2nda. y 3era. conjugación (-ar, -er, -ir).
Para formar el tiempo imperfecto de los verbos regulares de la primera conjugación, se toma la raíz del infinitivo y se le añaden las terminaciones subrayadas en el cuadro.

	HABLAR	COMER	VIVIR
yo	habl-**aba**	com-**ía**	viv-**ía**
tú	habl-**abas**	com-**ías**	viv-**ías**
usted, él, ella	habl-**aba**	com-ía	viv-**ía**
nosotros, -as	habl-**ábamos**	com-**íamos**	viv-**íamos**
vosotros, -as	habl-**abais**	com-**íais**	viv-**íais**
ustedes, ellos, -as	habl-**aban**	com-**ían**	viv-**ían**

Ejercicio. Conjugue los siguientes verbos en el imperfecto en todas las personas.

traer ____.

caer ____.

creer ____.

leer ____.

poder ____.

morir ____.

sentir ____.

2. VERBOS IRREGULARES.
En el tiempo imperfecto solamente hay tres verbos irregulares: **ser, ir, ver**.

SER - era, eras, era, éramos, erais, eran

IR - iba, ibas, iba, íbamos, ibais, iban

VER - veía, veías, veía, veíamos, veían

REPASO

Ejercicio A. Llene el espacio en blanco cambiando el infinitivo entre paréntesis al imperfecto.

1. Nosotros no (pensar) ___________________ ir al juego

2. Ayer nosotros (necesitar)___________________ tu auto.

3. Yo no (saber) ___________________ dónde (andar) ___________________ ustedes.

4. Tú antes (ir) ___________________ al cine los domingos.

5. Ellos no se (ver) ___________________ muy contentos.

6. Antes nosotros no (recibir) ___________________ visitas.

7. De toda la familia, Juan (ser) ___________________ el más atento.

8. Yo (ser) _______________ quien (hacer) ___________________ la comida antes.

9. Cuando nosotros (estar) ___________________ en la escuela

   primaria, casi siempre (saber) ___________________ las respuestas.

10. Antes nosotros (leer) ___________________ mucho

11. Ustedes no (creer) ___________________ lo que ustedes(ver) ___________________.

12. Cuando usted no se (tropezar)___________________, se (caer) ___________________.

13. Nosotros (ser) ___________________ de los Estados Unidos

14. Antes nosotros no (ir) ___________________ a la tienda.

15. Ellos no (traer) ___________________ dinero para el cine.

16. Yo no (poder) ___________________ estudiar.

17. Ayer ustedes (ir) ___________________ a salir temprano.

18. (Ser) ___________________ la nueve cuando salí del cine.

19. Ayer yo (ir) ___________________ a ir contigo.

20. Los muchachos (ser) _________________ amigos míos.

CAPITULO 5

Futuro
Condicional

Los empleados bilingües amenazan con demandar a sus jefes

A medida que las agencias gubernamentales y compañías privadas han intentado servir a mayor número de gente que no habla inglés, han tenido que apoyarse en los empleados bilingües. Ahora los empleados están pidiéndoles apoyo a sus jefes.

5 En un claro aumento de demandas, quejas, y exigencias de contratos, los empleados bilingües aseveran que sus habilidades lingüísticas les traen un mayor aumento de trabajo que a los empleados monolingües; por lo tanto, exigen que se les recompense con pago adicional.

10 Desde los pueblecitos costeros de California hasta la ciudad de Nueva York, los oficiales de la policía, profesores y trabajadores de hospitales que hablan español están presionando para que se les dé una cantidad adicional de dinero, de salario, o de puntaje para obtener ascensos.

15 Los empleados que están luchando contra el Departamento de Policía de Tucson, Arizona para que se les dé un pago adicional, se dirigen a un juicio en el Juzgado del Distrito de los Estados Unidos.

En Miami, otros policías hispanos están empezando un caso similar y amenazan con "olvidarse" de su español en el trabajo.

20 La decisión de un jurado a favor de los agentes hispanos que acusaron al Buró Federal de Investigaciones (FBI) de relegarles a trabajos indeseables de español, ha desbordado una serie de quejas similares en contra de otras agencias legales federales.

Del Valle Central de California ha llegado al juzgado federal 25 una demanda que podría tener grandes repercusiones para el sector privado. Apoyada por la Comisión de Igualdad de Oportunidad en el Empleo y su sindicato, Paula Soriano de 58 años de edad que trabaja como representante del servicio telefónico, acusa a la compañía de teléfonos. Dice que por el hecho de ser hija de padres mexicanos --y 30 porque domina el español-- sus deberes en el trabajo se han hecho agobiadores. Sus compañeras de trabajo anglosajonas, dice ella, no se han encontrado con las mismas exigencias y han hecho dinero con el trabajo que ella ha desempeñado con estas compañeras.

"Creo que todo esto va a ser la nueva frontera de protección 35 equitativa, legislación y litigio antidiscriminatorios", dijo Laurence Tribe, un profesor de Ley Constitucional de la Facultad de Leyes de la Universidad de Harvard. "Es un poco sorprendente que no haya habido mayor fermentación en esta vena anteriormente".

El aumento de demandas es, en parte, el resultado de 40 anteriores batallas en contra de la discriminación, de las oportunidades que ayudaron a crear, del orgullo conque estas actividades se llevaron a cabo y del creciente poder económico que le trajo a las minorías étnicas.

Quizás más agudamente que el continuo debate de educación
45 bilingüe, la disputa bilingüe ha traído a la luz pública una cuestión básica acerca de la composición étnica de los Estados Unidos de Norteamérica. ¿Hasta qué punto la habilidad de hablar idiomas, además del inglés, se convertirá en una destreza valiosa entre trabajadores donde una segunda lengua no haya sido un requisito? ¿O
50 será que esta cualidad lingüísitica sencillamente se considerará un producto de las circunstancias culturales que no requiera o amerite compensaciones especiales?

Las compañías y agencias gubernamentales en los últimos años han intentado apresuradamente servir las crecientes legiones de
55 consumidores que no hablan inglés. No obstante, para los hispanos así como para otros empleados bilingües existe un vacío entre lo que se les paga a los traductores profesionales y lo que se les paga a los intérpretes espontáneos. En este vacío o hendidura, han caído miles de enfermeras, lavaplatos y personal del Servicio Secreto los cuales
60 frecuentemente -- en un aprieto o por costumbre--, son llamados por sus colegas monolingües para contestar el teléfono, escribir una carta o leerle a un sospechoso sus derechos. "Es un constante punto de irritación para los empleados bilingües.", dijo Rubén Castillo, un abogado de Chicago que representa a agentes hispanos en una
65 demanda legal en contra del Servicio Aduanal de los Estados Unidos. "Prácticamente me han hablado empleados en todos los niveles del gobierno para que se establezca algún tipo de caso legal".

Para un vendedor de zapatos el tiempo extra que se toma en ayudarle a otros compañeros puede resultar en menos comisiones.
70 Para empleados de la ley (policías u oficiales) y trabajadores sociales, el resultado es con frecuencia menos tiempo para sus propios casos y nada concreto que mostrar por sus esfuerzos.

Quienes abogan por los derechos de los hispanos y asiáticos dicen que la situación con frecuencia resulta en patrones
75 discriminatorios en los cuales el empleado debe trabajar más para recibir un ascenso. Si sus habilidades lingüísticas se hacen indispensables, a veces son relegados a trabajos de un nivel inferior donde tratan directamente con el público sin importar que ellos, los empleados, estén capacitados para desempeñar mejores puestos
80 dentro de la compañía. Aunque existen sistemas de compensaciones extraordinarias por habilidades bilingües en las escuelas, en los departamentos de policía, y agencias de servicios sociales, especialmente en el suroeste de los Estados Unidos, las asociaciones de patrones dicen que tal situación es rara en otras partes del país y en
85 el sector privado.

En el gobierno federal, la primera política extensa que otorga

pago extra por hablar una lengua extranjera está gestándose en el Buró de Investigaciones Federales (FBI) y en la Administración para Esforzar Droga (DEA), dos años después de que el Congreso votó
90 permitiéndoles salarios a los agentes con una diferencia en pago de hasta 25% de sus salarios por hacer trabajo bilingüe.

Ejercicio A. Llene el espacio en blanco con una palabra de la lista.

abogan	apoyo	crecientes	exigir	juzgado
agobiadores	aprieto	demanda	fermentar	litigio
agudamente	ascensos	desempeñar	gestándose	otorga
amenazar	aseverar	destreza	juicio	patrones
ameritar	capacitados	equitativa	jurado	relegados

1. Los empleados le piden ______________ a su jefe.

2. Tengo que ir al ______________________ a pagar una multa.

3. Las minorías ________________ que son discriminadas.

4. Los trabajos de la agricultura son ____________________.

5. Es importante _____________________ el trabajo bien.

6. Saber de computadoras se considera una _________________ muy importante.

7. El profesor _______________ cierto porcentaje por llegar a tiempo a clase.

8. En Latinoamérica están _____________________ movimientos revolucionarios debido a la situación económica.

9. La situación terrrorista está afectando ____________________ los viajes a Europa.

10. Perdí mi dinero y no puedo pagar el hotel. Estoy en un ________________.

11. La nuevos empleados no están _________________________ para _____________ sus trabajos.

12. Los _________________________ están otorgando ________________ muy liberalmente.

13. Los malos empleados están siendo ___________________ a trabajos inferiores.

14. Los trabajadores de la fresa en California _______________ por sus derechos.

Ejercicio B. Traduzca los siguientes términos.

1. Government agencies ________________________________

2. Lawsuit ________________________________

3. F.B.I. ________________________________

4. EEOC ________________________________

Ejercicio C. Conteste las siguientes preguntas.

1. ¿Por qué el gobierno y las compañías privadas han tenido que apoyarse en los empleados bilingües?
2. ¿Por qué están quejándose los empleados bilingües?
3. ¿Qué intentan lograr los empleados bilingües con sus demandas?
4. ¿Qué dicen los policías de Miami?
5. ¿Cuál fue el caso legal que ha desbordado otros con respecto a la cuestión bilingüe?
6. ¿Cuál es la queja de Paula Soriano? Explique.
7. Según el autor del artículo, ¿quiénes son los verdaderos causantes del aumento de demandas legales por parte de los individuos bilingües? ¿Por qué? ¿Está usted de acuerdo? ¿Por qué?
8. ¿Cuál es la cuestión básica étnica en cuanto a la disputa bilingüe? ¿Cuál favorece usted? ¿Por qué?
9. ¿Cuál es la diferencia monetaria entre el traductor profesional y el intérprete espontáneo?
10. ¿Cuál es el punto de irritacíon de los bilingües, según Rubén Castillo? Explique.
11. ¿Cómo es perjudicado un vendedor de zapatos bilingüe?
12. ¿Cuál es la paradoja --o ironía-- que resulta el ser un empleado bilingüe? Explique.
13. ¿Qué ha hecho el FBI y el DEA con sus empleados bilingües?

Ejercicio D. Para escribir.

1. Escriba su opinión dando sus ideas acerca del artículo. Incluya en su discusión la situación de igualdad o desigualdad en su trabajo o ciudad.
2. ¿Considera que usted ha sido o es discriminado en su trabajo? Explique.
3. ¿Sabe usted de alguna situación donde alguien haya sido discriminado? Cuéntela.

I. TIEMPO FUTURO

1. Verbos regulares: 1era., 2nda. y 3era. conjugación (-ar, -er, -ir)
El futuro de los verbos regulares se forma tomando el **infinitivo completo** más las terminaciones que están en el siguiente cuadro.

TIEMPO FUTURO		
HABLAR	COMER	VIVIR
hablar-**é**	comer-**é**	vivir-**é**
hablar-**ás**	comer-**ás**	vivir-**ás**
hablar-**á**	comer-**á**	vivir-**á**
hablar-**emos**	comer-**emos**	vivir-**emos**
hablar-**éis**	comer-**éis**	vivir-**éis**
hablar-**án**	comer-**án**	vivir-**án**

Ejercicio: Conjugue en el futuro los verbos ***llegar, llevar, escribir, leer, creer, traer***, **ir**.

2. Verbos irregulares.
Los verbos irregulares del tiempo futuro no cambian en las terminaciones.

INFINITIVO	CAMBIO	TERMINACION
decir	**dir-**	
querer	**querr-**	
hacer	**har-**	**-é**
haber	**habr**	**-ás**
saber	**sabr-**	**-á**
poder	**podr-**	**-emos**
poner	**pondr-**	**-éis**
salir	**saldr-**	**-án**
tener	**tendr-**	
venir	**vendr-**	

Ejercicio A. Cambie las siguientes oraciones al futuro siguiendo el modelo.
Modelo: Yo voy a estudiar. Yo estudiaré

1. Ana no va a querer cenar en casa hoy.

   ____.

2. Estela va a poner la ropa encima de la mesa.

   ____.

3. Tus padres van a venir este fin de semana.

   ____.

4. Mañana vamos a salir fuera de la ciudad.

   ____.

5. Esta tarde vamos a hacer la tarea.

   ____.

6. Los detectives nunca van a saber quién es el asesino.

   ____.

7. Yo creo que ellos van a querer ir con nosotros.

   ____.

8. En este torneo yo voy a ser el ganador.

   ____.

9. Mañana vamos a venir como a las diez.

   ____.

10. Tú le vas a decir que no puedes ir.

   ____.

11. Me voy a recibir en mayo.

____.

12. ¿Qué va a ocurrir cuando él venga?

____.

13. Yo me voy a inscribir la semana que viene.

____.

14. Mañana vamos a estar fuera de la ciudad.

____.

15. La idea nos va a parecer bien.

____.

16. No va a encontrar los zapatos que busca.

____.

17. En este trabajo te vas a cansar mucho.

____.

18. El se va a dar cuenta que no sabe lo que dice.

____.

19. No vamos a poder tomar el examen hoy.

____.

20. Voy a dejar esta profesión por otra.

____.

21. Vamos a necesitar otro curso de español.

____.

22. En ese trabajo te van a pagar muy poco.

____.

23. Voy a trabajar mañana.

____.

24. Me voy a casar dentro de seis meses.

____.

25. Voy a ir de vacaciones la próxima semana.

____.

26. Te voy a ver en el teatro.

____.

27. Lo voy a animar para que gane.

____

28. Te va a decir que no te vayas mañana.

____.

29. Mañana no voy a poder ir contigo.

____.

30. No voy a estar en la escuela hoy.

____.

31. Yo creo que van a ir al cine esta tarde.

____.

32. Hoy no van a asistir a la reunión.

____.

Ejercicio B. Conjugue los siguientes infinitivos en el tiempo futuro.

salir	recibir	querer	venir
___________	___________	___________	___________
___________	___________	___________	___________
___________	___________	___________	___________
___________	___________	___________	___________
___________	___________	___________	___________
___________	___________	___________	___________

hacer	decir	contar	saber
___________	___________	___________	___________
___________	___________	___________	___________
___________	___________	___________	___________
___________	___________	___________	___________
___________	___________	___________	___________
___________	___________	___________	___________

leer	traer	caer	oír
___________	___________	___________	___________
___________	___________	___________	___________
___________	___________	___________	___________
___________	___________	___________	___________
___________	___________	___________	___________
___________	___________	___________	___________

II. EL TIEMPO CONDICIONAL

1. Verbos regulares: 1era., 2nda. y 3era. conjugación (-ar, -er, -ir)
   El tiempo condicional de los verbos regulares se forma tomando el **infinitivo completo** más las terminaciones que están en el siguiente cuadro.

TIEMPO CONDICIONAL		
HABLAR	COMER	VIVIR
hablar-**ía**	comer-**ía**	vivir-**ía**
hablar-**ías**	comer-**ías**	vivir-**ías**
hablar-**ía**	comer-**ía**	vivir-**ía**
hablar-**íamos**	comer-**íamos**	vivir-**íamos**
hablar-**íais**	comer-**íais**	vivir-**íais**
hablar-**ían**	comer-**ían**	vivir-**ían**

Actividad. Conjugue los siguientes verbos en el tiempo condicional.

1. estudiar ____.

2. preparar ____.

3. llegar ____.

4. entrar ____.

5. ir ____.

6. vestir ____.

7. escribir ____.

8. corregir ____.

9. ver ____.

10. leer ____.

11. creer ____.

2. Verbos irregulares.
Los verbos irregulares del tiempo condicional son los mismos que los del tiempo futuro *(decir, querer, hacer, haber, saber, poder, poner, salir, tener, venir)*

****

Ejercicio A. Cambie las siguientes oraciones al condicional.

1. Me gustaba ir. ____.

2. Ibamos contigo. ____.

3. Podíamos ser conservadores. ____.

4. Estábamos libres. ____.

5. Eramos radicales. ____.

6. El patio era de tierra. ____.

7. Debíamos estudiar. ____.

Ejercicio B. Llene el espacio en blanco con el condicional del infinitivo entre paréntesis.

1. Si me escribiera, yo le (contestar) _______________.

2. Si lo viera, yo lo (felicitar) _______________.

3. Si me animara, yo (volver) _______________ a casa.

4. Si oyera lo que estás diciendo, se (asustar) _______________.

5. Si no tuviera cuidado, me (caer) _______________.

6. Si preguntaras, ellos no te (contestar) _______________.

7. Si no nos quitaran, no nos (mover) _______________ de aquí.

8. Si no estudiáramos, (olvidar) _______________ todo.

9. Si no despertaran, nos (poder) _______________ ir.

10. Ellos (ir) _______________ si pudieran.

11. Ustedes me (entender) _______________ si pusieran atención.

12. Si trabajaran, ustedes también se (acostar) _______________ temprano.

13. Si nosotros pudiéramos, nos (quedar) _______________ en casa.

14. Si el auto no fuera tan viejo, te (gustar) _______________.

15. Si tu tradujeras el poema, yo lo (leer) _______________.

16. Si no me agarraras, yo me (caer) _______________.

17. Si hubiera música, ella (cantar) _______________.

18. Yo (tomar) _______________ el examen si hubiera estudiado.

19. Nosotros (ir) _______________ de vacaciones si pudiéramos.

Ejercicio C. Conteste la siguiente pregunta.

¿Qué tienen en común las terminaciones del tiempo imperfecto de los verbos de la 2nda. y 3era. conjugación con las terminaciones del tiempo condicional?

Ejercicio D. Conjugue los siguientes infinitivos en el tiempo condicional.

pedir	hacer	querer	saber
_____________	_____________	_____________	_____________
_____________	_____________	_____________	_____________
_____________	_____________	_____________	_____________
_____________	_____________	_____________	_____________
_____________	_____________	_____________	_____________
_____________	_____________	_____________	_____________

CAPITULO 6

El participio
Tiempos compuestos

La policía: "La vida no vale nada para los jóvenes de hoy"

Esteban Sarmiento, un taxista, fue asaltado en el mes de julio por tres adolescentes, y después uno de ellos --de dieciséis años de edad-- lo mató a balazos. Dos semanas más tarde, Genaro Varela, fue asesinado por dos muchachos, también de dieciséis años de edad, miembros de una pandilla cuyo único propósito esa noche --según informes de la policía--, era encontrar a alguien a quien lastimar.

A Varela lo asesinaron después que él y un compañero llamaron al teléfono de emergencias 911 para reportar un asalto en una "Good Time Store". Mientras esperaban que llegara la policía, acatando las instrucciones que se les habían dado por teléfono, una pandilla de adolescentes llegó en automóvil. Los pandilleros se bajaron atacando a Varela y a su compañero con bates de béisbol, cadenas y con una pistola. Los atacantes de Varela aparentemente no tenían nada que ver con el robo de la tienda. El ladrón de la tienda huyó. Nunca fue arrestado.

Hoy día, la vida parece que vale menos que nunca en las calles de la ciudad. Tanto los educadores como la policía y los jueces dicen que no se explican la razón de esta violencia. El teniente Charles Harvey, veterano de 25 años, dice que nunca había estado peor la violencia. "No creo haber visto nunca antes una temporada como la actual en que la juventud está tan dispuesta a asesinar a alguien sin mayores remordimientos ni tampoco con la frecuencia conque lo están haciendo".

Howard Daudistel, sociólogo de la Universidad de Texas en El Paso y experto en criminología, dice que en general al nivel nacional hay un aumento de crímenes violentos causados por adolescentes. El número de jóvenes alienados que perciben que nunca disfrutarán el estilo de vida de sus padres va en aumento. Opina Daudistel que esta percepción es en parte culpable por el aumento de violencia. Añadió que, "Para un gran número de gente joven, la vida es barata. Tienen tan poco invertido en la sociedad, en la comunidad y aun en ellos mismos que el llevar a cabo actos de violencia al azar no les parece a ellos nada serio. Los adolescentes consideran que no tienen nada que perder. Esta actitud da lugar a un círculo vicioso ya que entre más ocurre la violencia, menos rara parece a la sociedad. La violencia se convierte también en algo común para los jóvenes que la ven --por ejemplo, los nuevos iniciados en las pandillas o "gangas". El asesinato se convierte en un incidente ordinario de la vida diaria. Cuando la violencia empieza a aparecer con frecuencia, el choque y la furia hacia esta violencia tiende a declinar, se convierte en un suceso diario, y la gente se acostumbra a ella".

La policía declara que cuando detiene a jóvenes que han

cometido un crimen, como en el caso del taxista, se enfrentan con adolescentes enojados e irrespetuosos que cuando son llevados ante
45 el juez dicen cosas tales como "No me hagas perder mi tiempo. Conozco mis derechos. Vete al diablo".

Uno de estos jueces, Ernest Guinn, dice que el crimen se está convirtiendo en una forma de ganar prestigio entre los compañeros y que la violencia al azar aparentemente lleva mucho peso. "Así como
50 en el Viejo Oeste los pistoleros hacían incisiones en las armas después de haber matado a alguien, para estos chicos el prestigio proviene del hecho de que si matan, se convierten en un símbolo al que hay que emular. Ni el temor de ir a la prisión los detiene. Estos crímenes al azar son señales de la desintegración de la sociedad. Los padres de
55 estos adolescentes, se hallan impotentes para contener estos crímenes llenos de furia. Muchos de estos padres sienten que están en una situación sin remedio. He tenido padres que me dicen, 'Señor juez, no podemos hacer nada con él. No entiende'. Hay una falta de control por parte de ellos hacia sus hijos durante la niñez de éstos. Existe un
60 vacío, el cual debió haberse llenado de valores morales y de ética hacia el trabajo similares a los que --creo yo-- tuvimos nosotros mientras crecíamos. La necesidad de ambos padres de trabajar para mantener un adecuado nivel de vida, combinado con el cine, la televisión, el uso del alcohol y las drogas es, en general, una disolución de la
65 preocupación por los derechos de los ciudadanos".

Aunque le entristece pensarlo, el teniente Harvey está convencido que a algunos adolescentes ya no se les puede ayudar. Añade que la siguiente generación debe ser atendida si va a reducirse el crimen entre estos adolescentes. "Creo que debemos empezar
70 desde abajo. Tenemos que comenzar con los pequeñitos. No quiero olvidarme de la actual generación de adolescentes, pero tenemos que darnos cuenta que es necesario reclamar nuestra moral, nuestra ética, nuestros valores y adaptarlos a este mundo en constante cambio".

Ejercicio A. Llene el espacio en blanco con una palabra de la lista. Puede cambiar el género y/o número.

acatando	atendida	ética	ordinario
actual	azar	impotente	pandilla
alienado	cómodo	incisión	propósito
ambos	disolución	invertido	reclamar
añadió	emular	nivel	suceso

1. Los jóvenes estaban _______________ las órdenes de la policía cuando llegó la _______________ y los atacó.

2. No se conoce el _________________ de la rebelión.

3. El _____________ de educación de los hispanos no es muy alto.

4. Yo me siento muy ________________ en esta camisa.

5. La baraja, los dados, y la lotería son juegos de ______________.

6. El avión que explotó en el aire fue un _______________ muy impresionante.

7. Los bandidos hacían ___________________ en sus pistolas después de matar a alguien.

8. Es importante ______________ los buenos actos, no los malos.

9. Ni Juan ni Pedro quisieron ir al cine. ________________ decidieron quedarse en casa.

10. En la época ________________, los jóvenes ven demasiada televisión.

11. La mujer herida fue _____________________ con prontitud.

12. Hoy día, muchos jóvenes se sienten _______________________ de su familia.

13. Los campesinos vinieron a ____________________ sus derechos.

14. El nuevo jefe ha __________________ mucho tiempo en ayudar a sus empleados.

15. Se ________________ un nuevo producto en la tienda.

16. Los padres se sienten ____________________ ante la rebelión de sus hijos.

17. Se cree que la ____________________ familiar es más predominante que en el pasado.

18. La deshonestidad es una falta de ________________________.

Ejercicio B. Conteste las siguientes preguntas.

1. ¿Quién mató a Esteban Sarmiento y a Genaro Varela?
2. ¿Qué buscaban esa noche los pandilleros?
3. ¿Cuáles fueron las circunstancias que rodearon la muerte de Genaro Varela?
4. ¿Qué dice el teniente Harvey con respecto a la violencia hoy día?
5. ¿Por qué es barata la vida, según Daudistel?

6. ¿Cuál es la actitud que la sociedad desarrolla ante la violencia cada vez peor? ¿Cuál es el círculo vicioso que resulta?
7. Según el juez Guinn, ¿qué lleva mucho peso entre los jóvenes ? ¿ Por qué?
8. Según Guinn, ¿qué ocurre con los padres y los hijos?
9. ¿Cuál es el vacío que existe y por qué?
10. ¿Cuáles son las conclusiones del teniente Harvey?

Ejercicio C. Para escribir.
1. ¿Cree usted que los jóvenes de hoy son más violentos que en el pasado? Elabore.
2. ¿Por qué cree usted que hay "drive by shootings"?
3. ¿Por qué cree usted que los jóvenes se meten a formar parte de las pandillas ("gangas")?
4. Investigue la filosofía de una pandilla, y escriba un informe para la clase.

I. EL PARTICIPIO

1. EL PARTICIPIO: USOS
   El participio se utiliza para la formación de los tiempos compuestos del modo indicativo y del modo subjuntivo (ejemplo: "Yo he **hablado**". "Ojalá yo hubiera **hablado**").
   También se utiliza con la voz pasiva. Con la voz pasiva, el participio tiene función de adjetivo (El libro está **escrito**).
2. FORMACION DEL PARTICIPIO: 1era., 2nda. y 3era. conjugación.
   El participio de los verbos regulares se forma con la **raíz** del infinitivo y añadiéndole **-ado** si es un verbo de la primera conjugación (-ar), o **-ido** si es un verbo de la segunda (-er) o tercera (-ir) conjugación.

INFINITIVO	**PARTICIPIO**
hablar	habl**ado**
comer	com**ido**
vivir	viv**ido**

Ejercicicio. Dé el participio de los siguientes verbos

preparar ____________________ aprobar ______________________

trabajar _____________________ comparar ______________________

enseñar _____________________ coser _________________________

vender ______________________ cenar _________________________

permitir _____________________ caer __________________________

cerrar _______________________ ser ___________________________

salir _________________________ podar _________________________

correr _______________________ andar _________________________

hablar _______________________ estar _________________________

sentir ________________________ conversar ______________________

creer _________________________ charlar ________________________

3. El PARTICIPIO: VERBOS IRREGULARES: (terminan en -TO,-CHO)

INFINITIVO	PARTICIPIO
abrir	**abierto**
absolver	**absuelto**
componer	**compuesto**
cubrir	**cubierto**
decir	**dicho**
descomponer	**descompuesto**
describir	**descrito**
descubrir	**descubierto**
disolver	**disuelto**
escribir	**escrito**
hacer	**hecho**
inscribir	**inscrito**
morir	**muerto**
poner	**puesto**
resolver	**resuelto**
romper	**roto**
suponer	**supuesto**
ver	**visto**
volver	**vuelto**

Ejercicio. Llene el espacio en blanco con un participio de la lista.

1. No creo que él haya ___________________ el robo.

2. Me parece que no ha _______________ suficiente trabajo.

3. Yo no he ____________________ el documento todavía.

4. Se le ha __________________ la camisa.

II. TIEMPOS COMPUESTOS DEL MODO INDICATIVO

Los **tiempos compuestos del modo indicativo** se forman conjugando el verbo **haber** en uno de los tiempos simples (presente, pretérito, imperfecto, futuro, o condicional) y añadiéndole el **participio**. Los tiempos compuestos incluyen el *presente perfecto, pretérito perfecto, pluscuamperfecto, futuro perfecto y condicional perfecto*. Estos tiempos compuestos se componen de dos verbos ("he hablado") a diferencia de los tiempos simples que se componen de una sola forma verbal ("hablo").

****

1. EL PRESENTE PERFECTO

El **presente perfecto** se forma con el verbo haber conjugado más **el participio**.

HABER (conjugado)	**PARTICIPIO**
he	
has	hablado
ha	comido
hemos	vivido
habéis	
han	

Ejercicio A. Llene el espacio en blanco con el presente perfecto del infinitivo entre paréntesis.

1. Nosotros (poner) ________________________ las revistas ahí.

2. Ellos se (inscribir) ________________________ tarde.

3. El (tomar) ________________________ buenos apuntes.

4. El director (morir)_______________ en el accidente.

5. Los niños (resolver) ________________________ el problema.

6. El mecánico (componer) ________________________ los frenos.

7. Nosotros (hacer) ________________________ todo lo posible por ayudarlos.

8. Nosotros ya (cubrir) ________________________ ese capítulo.

9. Los atletas ya (competir) _______________ fuera del país.

10. Ya se (escribir) ________________ varias cartas de felicitación.

11. Yo no (ver) _______________ la competencia.

12. Carlos ya (estar) _____________ anteriormente en los Estados Unidos.

Ejercicio B. Cambie las siguientes oraciones al presente perfecto.

1. La niña ya comió.

____.

2. Ella todavía no hace nada.

____.

3. El ya salió de la ciudad.

____.

4. Ya fuimos a clase.

____.

5. Nosotros ya hicimos la tarea.

____.

6. El entrenador ya resolvió el problema.

____.

7. El mecánico todavía no compone el auto.

____.

8. Ya abrimos el regalo.

____.

9. Ustedes ya le escribieron a su hermano.

____.

10. La pastilla ya se disolvió.

____.

11. Ya estuvimos en México.

____.

12. Ya condujimos ese auto.

____.

13. Yo estudié en esta biblioteca hasta las tres de la mañana.

____.

14. Me quedé en el estudio hasta muy tarde.

____.

15. Ya vio la película tres veces.

____

Ejercicio C. Traduzca usando el presente perfecto.

1. I have said lies sometimes.

____.

2. We have received many complaints.

____.

3. He has fired the lazy worker.

____.

4. We have already been in Acapulco.

____.

5. They have already seen that movie.

____.

2. EL PRETERITO PERFECTO

El **pretérito perfecto** se forma con el verbo **haber conjugado** más **el participio**. Este tiempo ha caído en desuso.

HABER (conjugado)	PARTICIPIO
hube	
hubiste	hablado
hubo	comido
hubimos	vivido
hubisteis	
hubieron	

****

3. EL PLUSCUAMPERFECTO

El **pluscuamperfecto** se forma con el verbo **haber conjugado** más **el participio**.

HABER (conjugado)	PARTICIPIO
había	
habías	hablado
había	comido
habíamos	vivido
habíais	
habían	

Ejercicio A. Conteste utilizando el pluscuamperfecto.
Modelo: ¿Trajeron el auto ayer? Ya lo habíamos traído.

1. ¿Escribieron la carta ayer? Ya la ____.

2. ¿Compusieron ustedes el auto ayer? Ya lo ____.

3. ¿Le dijiste ayer todo? Ya se lo____.

4. EL FUTURO PERFECTO

El futuro perfecto se forma con el verbo **haber conjugado** más **el participio**.

HABER (conjugado)	PARTICIPIO
habré	
habrás	hablado
habrá	comido
habremos	vivido
habréis	
habrán	

Ejercicio A. Cambie las siguientes preguntas al futuro perfecto.

1. ¿Vendrá Miguel? ______________________________

2. ¿Escribirán la carta? ______________________________

3. ¿Compondrán el auto los mecánicos? ______________________________

4. ¿Dirán la verdad? ______________________________

5. ¿Resolverás el problema? ______________________________

F. ¿Vendrán temprano? ______________________________

G. ¿Estudiarán en la biblioteca? ______________________________

H. ¿Llegará a tiempo? ______________________________

I. ¿Con quién se quedará? ______________________________

J. ¿Irá al cine esta noche? ______________________________

K. ¿Nos creerá? ______________________________

L. ¿Qué pensará de la explicación que le dimos? ______________________________

M. ¿Saldrán a las cinco? ______________________________

Ejercicio B. Llene los espacios en blanco con el futuro perfecto del verbo entre paréntesis.

1. Como Miguel salió desde ayer, ya (llegar) ____________________.
2. ¿(Venir) ____________________ el rector y el decano a la reunión?
3. ¿Ya (hervir) ____________________ el agua?
4. ¿Ya (leer) ____________________ el periódico mi padre?
5. Para cuando tú escribas la carta, yo ya (hacer) ________________ el resumen.
6. Para cuando nos levantemos, ustedes ya (componer)________________ la secadora.
7. Para cuando vayamos a las montañas, ustedes ya (regresar) __________________.
8. Para cuando yo llegue, tú ya te (ir) ____________________.
9. Para cuando se vayan, nosotros ya (terminar) _______________________ el proyecto.
10. Para cuando riegues, las plantas ya se (secar) _______________________.
11. ¿Con quién (hablar) _______________________ el profesor?
12. ¿Tú crees que ya (salir) ____________________ los muchachos de la escuela?
13. ¿(Comer) ____________________ durante el viaje los muchachos?
14. ¿(Hacer) ______________________ la tarea Mariano?
15. ¿Quién (abrir) ________________________ la oficina?
16. Para cuando ellos vengan, nosotros ya nos (ir)______________________________
17. Para estas horas, mi hermano ya (llegar) ______________________ a San Antonio.
18. Para mañana, nosotros ya (terminar) ______________________ de pintar la casa.
19. ¿(Entender) ________________________ el muchacho las instrucciones?
20. Juan no llegó a casa anoche. ¿Con quién se (quedar) ______________________?
21. ¿(Llover) _________________________ mucho en Austin?

5. EL CONDICIONAL PERFECTO

El condicional perfecto se forma con el verbo **haber conjugado** más **el participio**.

HABER (conjugado)	**PARTICIPIO**
habría	
habrías	hablado
habría	comido
habríamos	vivido
habríais	
habrían	

Ejercicio A. Cambie del tiempo condicional al condicional perfecto.

1. Me gustaría ir. ________________________________.
2. Nos gustaría ir contigo. ________________________________.
3. Yo no sabría dónde encontrarlo. ________________________________.
4. Nosotros no dejaríamos aquí el dinero. ________________________________.
5. En tu lugar, yo recogería el documento. ________________________________.
6. Con un buen puesto, nosotros no tendríamos que reírnos de sus chistes.

   ________________________________.
7. De buena gana me acostaría temprano. ________________________________.
8. De haberlo sabido, Rogelio se quedaría en casa. ________________________________.
9. Con suerte, el director aceptaría la renuncia. ________________________________.
10. Estarías ansioso por saber los resultados de la carrera.

    ________________________________.

11. Me gustaría que te quedaras. ____.

12. Yo no saldría temprano del correo. ____.

13. El estudiaría medicina en los Estados Unidos.

____.

14. Me quedaría en Estados Unidos por lo menos un año.

____.

Ejercicio B. Repaso de los tiempos compuestos. Traduzca las siguientes oraciones

1. They have had time to fix the car. ____.

2. We will have opened by eight. ____.

3. If she had known, she would have written the message.

____.

4. We would have been the winners at the races if we had participated.

____.

5. They have broken the cups. ____.

6. They will have left by the time we arrive.

____.

7. You and your brother have been there before.

____.

8. I have rejected their offer. ____

9. Tomorrow you will have worked here 10 years. ______________________________

10. I have been waiting for the doctor for 3 hours!

____

SECCION TERCERA:

EL ACENTO ORTOGRAFICO

CAPITULO 7

La sílaba
La fuerza de la voz
Palabras agudas,
llanas,
esdrújulas, y
sobreesdrújulas
El adiptongo
Palabras interrogativas y exclamativas
El acento diacrítico
Respuestas a ejercicios

Carta: "Balazos"

16 de sept.
El Paso, TX

Querido hermano,

Te escribo porque hablé por teléfono con mamá y me contó que la casa había sido balaceada. No lo podía creer. Mamá me dijo que no me preocupara; que ya había pasado todo, y que nadie había resultado lastimado. Yo te iba a llamar pero pensé que sería mejor escribirte pues a las palabras se las lleva el viento.

Tú eres una persona muy arrojada. Lo has demostrado desde pequeño. No te dejas asustar, no le tienes miedo a nadie, ni temes que te pase algo. Sin embargo, yo creo que debes darte cuenta que ahora estás arriesgando no solamente tu vida sino también la de otras personas. El hecho de que alguien balaceara la casa anoche puso en peligro a toda la familia. Gracias a Dios que no ocurrió una desgracia. ¡Imagínate si hubieran herido o matado a alguien!

Yo estoy seguro que la balaceada era contra ti porque, aunque no lo seas, tienes todos los atributos principales que caracterizan a los pandilleros. No te dejas atemorizar por nadie y te gusta buscar pleito. También tienes un caminado, una mirada y una forma de vestir que parece que andas enojado con el mundo. En la casa te pones ese pañuelo azul o "bandana" que singulariza a los pandilleros. Yo te digo que te la quites pero tú me dices que la usas porque andas despeinado. Mentira. La verdad es que a ti te gusta ese estilo de vestir. A mí no me gusta que la uses porque aunque tú dices que no eres miembro de ninguna pandilla, te pueden confundir con un pandillero. (Tengo mucho tiempo diciéndote que no te la pongas porque los muchachos que viven enfrente también llevan pañuelos en la cabeza pero los de ellos son rojos. Es probable que ellos piensen que perteneces a una pandilla, y pueden planear alguna fechoría en contra tuya). Existe la posibilidad que la balacera haya ocurrido por los muchos pleitos que tienes en la escuela. Alguno de los estudiantes con quienes has armado "bronca" puede ser el responsable.

También es probable que la balacera haya sido hecha por alguien a quien le quitaste la novia. Tú eres muy enamorado. Si a ti te gusta una chica, no te importa si tiene novio. Tú la cortejas. Han ido muchachos a buscarte a la casa a reclamarte y decirte que dejes en paz a tal o cual muchacha. Tú y Chris, tu mejor amigo, se han dado de golpes con ellos. ¿No crees tú que uno de tantos ofendidos haya decidido ir a balacear la casa como venganza?

José, tú ya tienes 18 años. Ya no eres ningún chiquillo. Es tiempo de que sientes cabeza, termines la secundaria, y te vengas al

40 colegio. Te faltan unos cuantos meses para graduarte. Ya me dijo mamá que te asustaste, que vas a entrar a otra escuela y que sí deseas acabar el año. Me da gusto. Aléjate de tus amigos. Como ya te dije, aunque no seas parte de ninguna pandilla, quizás algunos de tus compañeros sí lo sean. Estas amistades pudieron también ser la causa de la balacera. Si las dejas, verás como las clases en la escuela se te

45 facilitarán. Si te recibes y te vienes al colegio donde yo estoy, no te arrepentirás. Te lo aseguro.

Piensa el gusto que les dará a nuestros padres si nos recibimos los dos. Después nos iremos a la universidad y obtendremos un título. Acuérdate de que ellos desean lo mejor para nosotros y para ellos lo

50 mejor es una educación para encontrar un buen trabajo. Ya ves, ninguno de ellos terminó la "high school" y han pasado por épocas difíciles. Claro que siempre nos han dado todo lo necesario: casa, ropa, comida, y hasta un poco de dinero; pero tú sabes lo mucho que tienen que trabajar. Demasiado, diría yo.

55 Bueno, es todo por ahora. Ojalá no se repita el incidente. Cambia de escuela, gradúate, y vente al colegio. Ya no te metas en tanto lío. Acuérdate que la primera balacera es un aviso. La segunda ya va en serio y directamente a ti.

En la próxima carta te hablaré más del colegio. Saludos.

60 Tu hermano,

Luis

Ejercicio A, Conteste las siguientes preguntas.

1. ¿Con quién habló por teléfono Luis?
2. ¿Qué pasó?
3. ¿Quién tuvo la culpa del incidente?
4. ¿Por qué cree Luis que ocurrió el incidente?
5. ¿Cuántos años tiene José?
6. ¿Qué va a hacer José para enmendarse?
7. ¿Qué le aconseja Luis a José?
8. ¿Qué educación tienen los padres de los jóvenes?
9. ¿Qué desean los padres para los jóvenes?
10. ¿Qué tema va a tocar Luis en la próxima carta?

Ejercicio B. Para escribir.

1. ¿Sabe usted de algún "drive-by shooting" que haya ocurrido? Cuente el incidente.
2. Usted ya conoce a José por las cartas de Luis. ¿Cuál cree que será el futuro de José?
3. ¿Conoce usted a padres como los de José y Luis? Cuente acerca de ellos.
4. ¿Conoce usted jóvenes como José y/o Luis? Cuente algun aspecto de la vida de ellos que le haya impresionado.

Carta: "El colegio"

2 de octubre
El Paso, TX

Querido hermano,

Recibí tu carta y me da gusto saber que ya las cosas están mejor en casa. Me da gusto que ya estés en la nueva escuela y saber que pronto te recibirás. Más gusto me dio leer que tienes pensado venirte al colegio. Acerca de este tema quiero escribirte hoy.

Tú sabes que en la "high school" se estudia, pero hay que tener cuidado en no estudiar demasiado para no ser considerado un "nerd". No es muy aceptable entre los compañeros ir a la biblioteca a estudiar. Tampoco es muy popular aprobar los cursos con buenas calificaciones. En esta escuela tambien hay entre los estudiantes demasiado énfasis en el aspecto social. Se conoce todo mundo. Saben con quién te juntas, qué carro manejas, dónde compras tu ropa, qué lugares frecuentas, etc. Hay una gran preocupación en la apariencia exterior, tanto en el aspecto físico como en la forma de vestir. En el aspecto físico si eres gordo y bajo, como lo soy yo, a veces los estudiantes no se quieren juntar contigo, y todo mundo te pone apodos. En cuanto al vestuario, entre más ropa de marca reconocida lleva la persona, más importante parece sentirse. Lástima que no se exijan uniformes. De esta manera la diferencia estaría basada en la persona interior, en el comportamiento, y las calificaciones.

Cuando me inscribí en el colegio, llegué con la actitud y conducta que había practicado en la "high school". Asistía a clases, tomaba unos cuantos apuntes, y me iba a casa de la tía --ya ves que fue ella quien sugirió que me fuera a El Paso a estudiar porque en nuestra ciudad todavía no hay un colegio -- a ayudarla. Otras veces me ponía a ver televisión o a dormir. Lo que más me gustó del colegio fue el horario de clases. ¡Qué "high school" ni que nada! ¡La pura vida! Tomaba cuatro clases por semestre que es considerado tiempo completo. Los lunes, miércoles entraba a las 8:00 A.M., y salía de clases a las 9:50 A.M. Los martes y jueves entraba de nuevo a las 8:00 A.M. y salía las 10:50 A.M. Casi no estudiaba porque noté que a los profesores no parecía molestarles si faltaba a clase o si no sabía la respuesta a alguna pregunta que me hicieran. Cuando recibí los resultados del primer examen (que por supuesto reprobé) de una de mis clases, fui a la oficina del profesor y le pregunté qué podría hacer para mejorar la calificación. Me dijo que estudiara; que esa era mi responsabilidad como estudiante que era y como adulto; que de

otra manera reprobaría el curso. Me pareció insensible su respuesta,
pero no la ignoré. Empecé a estudiar y mis calificaciones mejoraron.
40 Ahora se lo agradezco. Me percaté que el tiempo que me quedaba
libre no era para desperdiciarlo sino para estudiar.

Otra cosa que noté es que si pides ayuda los profesores te la
dan; pero si no pides, no te forzan. La responsabilidad de recibirte es
tuya, no de ellos. Si quieres tener éxito en el colegio, necesitas
45 responsabilizarte y disciplinarte. Yo lo hice. Hay muchos que no lo
hacen y reprueban. Hay estudiantes que vienen a socializarse, no a
estudiar. Entran solamente para decirle a sus amistades que están
yendo al colegio. Estos estudiantes no duran mucho; reprueban y
dejan el colegio.

50 Noté otras diferencias. Aunque sí es importante crear una
impresión en los demás estudiantes vistiéndote con bonita ropa o
teniendo bonita figura, estas características no llevan mayor
importancia. Al colegio puedes venir con ropa de salir o con ropa de
trabajo. Nadie te critica. Claro que es bueno ser bien parecido; pero
55 si no lo eres, nadie se ríe de ti. Puedes ser gordo, flaco, alto, o bajo.
A nadie le importa. Los estudiantes te juzgan por lo que eres como
persona más que por las apariencias. Los estudiantes tienen otras
responsabilidades que no les permite socializarse o criticar. Aquí cada
persona "atiende su negocio". Después de clase, muchos se van
60 directamente al trabajo. No tienen tiempo para ponerse a conversar.
Platican brevemente, y el tema es casi siempre en torno a las clases.

En el colegio la edad entre los estudiantes va desde los 18
hasta los 70 años. Probablemente hasta más. A nadie le importa
tampoco esta diferencia. El colegio iguala a todos. Lo que los separa
65 son las calificaciones. Mucha gente mayor hace mejores calificaciones
que nosotros los jóvenes.

Otra cosa que no ves en el colegio son las drogas ni las
pandillas. Probablemente existan, pero no se ven. Aquí no hay, por
ejemplo, "drive-by shootings" como los hubo en nuestra preparatoria.
70 Tampoco hay pleitos de grandes proporciones al fin del año escolar
como ocurren año tras año en la escuela. ¿Te acuerdas como el año
pasado se pelearon en el parque las pandillas? Hasta tú andabas en la
bola. Hubo cerca de cien personas en el pleito. Hubo heridos y habría
habido muertos si no hubiera llegado la policía a tiempo.

75 Te va a gustar asistir al colegio. A ti se te va a hacer más fácil
que a mí porque eres más inteligente que yo. Además me tienes aquí
para decirte cómo están las cosas y para ayudarte en todo lo que yo
pueda.

Tu hermano,

Luis

Ejercicio A Conteste las siguientes preguntas.

1. ¿Qué está pasando con José?
2. ¿Cuáles son las preocupaciones de muchos estudiantes en la "high school"?
3. ¿Cómo se les ve a los alumnos estudiosos?
4. Según Luis, ¿qué se debería exigir en la preparatoria?
5. ¿Cómo se le llama a los alumnos que van a la biblioteca y obtienen buenas calificaciones en las clases?
6. Cuando los estudiantes conversan en el colegio, ¿cuál es el tema que los ocupa?
7. ¿Qué le impresionó a Luis de los estudiantes?
8. ¿Qué iguala a los estudiantes en el colegio?
9. ¿Qué diferencia a los estudiantes en el colegio?
10. ¿Por qué asisten algunos estudiantes al colegio a pesar de que no desean estudiar?
11. ¿Cuántas clases hay que tomar en la colegio por semestre?
12. ¿Cuántas veces se va a cada clase por semana al colegio?
13. ¿Por qué se le va a hacer más fácil el colegio a José que a Luis?

Ejercicio B. Para escribir.

1. Analice la carta de Luis y decida si las comparaciones que hace entre la "high school" y el colegio son acertadas o solamente exageraciones para convencer a su hermano de que asista al colegio.
2. Usted es un funcionario de una escuela preparatoria. Escriba usted una carta al autor defendiendo la "high school". Para reforzar su argumento, describa los aspectos negativos de los colegios.
3. Usted es un estudiante en una escuela preparatoria. Escriba acerca de todas las cosas positivas que hay en su escuela.
4. ¿Está usted de acuerdo en que no hay pandillas en los colegios? Escriba su opinión y las razones de que las haya o no.
5. ¿Cree usted que haya más drogas en las preparatoria que en los colegios? ¿Por qué ?
6. Luis ha aprendido mucho acerca del colegio. ¿Qué ha aprendido usted en su plantel educativo? Comparta algunas de sus experiencias. Elabore.

I. LA SILABA

La **sílaba** es un sonido o grupo de sonidos que se pueden articular en una sola emisión de voz. Toda palabra está compuesta de sílabas. La sílaba tiene las siguientes características:

1. Se puede componer solamente de vocales, ya sea una sola vocal (**a**/**é**/re/**o**), dos (**ai**/re) o tres (a/ve/ri/g**uái**s).
2. Se puede componer de vocales y consonantes (ma/**ria**/chi).

La división silábica.

1. Dos vocales fuertes (**a, e, o**) siempre se separan.
   Ejemplo: *po/e/ta, a/é/re/o*
2. Una vocal fuerte y una vocal débil (**i, u**) se separan solamente si lleva acento la vocal débil.
   Ejemplo: *pa/ís, pú/a.*
3. Una vocal fuerte (**a, e, o**) y una vocal débil (**i, u**), una al lado de la otra, no se separan.
   Ejemplo: a/*gua*, *pie*/dra
4. Dos consonantes se separan.
   Ejemplo: *con/tar, can/sar*
5. Una consonante entre dos vocales va con la segunda vocal.
   Ejemplo: p e / *p* e
6. Las siguientes consonantes nunca se separan.

pl - pla/nes	**pr** - a/pren/der
tl - tla/loc	**tr** - tra/er
cl - cla/ro	**cr** - cre/er
bl - blan/co	**br** - a/brir
gl - glo/ria	**dr** - o/dre
fl - flo/res	**gr** - gra/ve
fr - co/fre	

7. Tres consonantes se separan entre la segunda y tercera.
   Ejemplo: *ins/tan/tá/ne/o, cons/tan/te*
8. Las consonantes **ch, rr, ll** nunca se separan.
   Ejemplo: *mu/cha/cho, ca/rre/ta,* ca/ba/lle/ro

****

<u>Ejercicio</u>. Divida las siguientes palabras en sílabas.

aire	ideal	sea	enciendan	haya
caballería	experiencia	sincero	guapo	consejo
egoísmo	desea	auto	actual	siguiente
persiana	respuesta	puerta	detalles	siempre

II. LA FUERZA DE LA VOZ

1. DISCUSION: LA FUERZA DE LA VOZ.

En español toda palabra tiene tantas pronunciaciones como sílabas en la palabra, pero solamente una es correcta según lo que se quiera decir:

Ejemplo: *tér*/mi/no ter/*mi*/no ter/mi/*nó*

Todas las palabras, por lo tanto, contienen una sílaba donde recae la fuerza de la voz. A esa sílaba se le conoce como *sílaba tónica* y a la fuerza de la voz se le conoce como *acento.* El acento puede ser *ortográfico* o *prosódico*. El ortográfico es la tilde que se escribe encima de la vocal (á). El prosódico es el acento que se escucha pero que no se escribe. La fuerza de la voz, siempre recae sobre una vocal (a, e, i, o, u) nunca en las consonantes.

2. DETERMINANDO LA SILABA TONICA

Para encontrar la sílaba tónica en la palabra es necesario dar la fuerza de la voz a la vocal o vocales de cada sílaba y alargar, aunque sea exageradamente, la vocal o vocales. Los siguientes diagramas ilustran la sílaba tónica.

mesero:	me - se - ro		
	meee-se-ro	me-seee-ro	me-se-rooo
tempestad:	tem - pes - tad		
	teeem-pes-tad	tem-peees-tad	tem-pes-taaad
lámpara:	lám - pa - ra		
	lááám-pa-ra	lám-paaa-ra	lám - pa - raaa

En español, la mayoría de las palabras llevan la fuerza en la penúltima sílaba, después en la última, y finalmente, en la antepenúltima. Las menos frecuentes son las que llevan la fuerza en la anteantepenúltima sílaba. Para encontrar la fuerza de la voz en caso de no tenga práctica en encontrarla, usted debe de empezar practicando con mucha palabras dándole la fuerza a la penúltima sílaba. Una vez que lo ha logrado, continúe dándole la fuerza a la última sílaba; y, finalmente, dele la fuerza a la antepenúltima sílaba. Encontrar la fuerza de la voz en la palabra es imperativo ya que si no logra encontrarla será muy difícil que aprenda a ponerle acentos ortográficos a las palabras que lo llevan.

Ejercicio A. Divida las siguientes palabras en sílabas y dele la fuerza a la penúltima sílaba.

artista	difícil	pandillero	funcionario
avaro	digno	cosas	cabeza
azucar	lastimado	problema	uniforme
débil	balazo	escuela	colegio

Ejercicio B. Divida las siguientes palabras en sílabas y dele la fuerza a la última sílaba.

oportunidad	papel	corredor	amistad
jardín	favor	mejor	mitad
además	desvelar	corral	mayor
calidad	gratitud	mantel	comedor

Ejercicio C. Divida las siguientes palabras en sílabas y dele la fuerza a la antepenúltima sílaba.

próximo	química	sílaba	símbolo
simpático	rápido	sólido	súbito
teléfono	último	tímido	título
víbora	romántico	trágico	triángulo

Ejercicio D. Subraye la sílaba tónica. (Las respuestas a esta sección están en la pág. 148)

mímico	préstamo	pensamiento
gesto	usurero	fierro
fonético	urgente	partido
inquietud	profundo	regimiento
regionalismo	sastre	verano
lingüístico	estricto	alrededor
hacían	admitir	agua
obsequiada	clave	allanar
género	tutear	pared
pueblerinos	humillada	grave
inteligencia	engullido	mantel
ascendencia	terraza	occiso
crianza	dueños	población

intérpretes
distinguido
imperio
arrugado
camarada
talento
diarios
paterna
nodriza
padre
resistir
escenario
mesero
cortina
hipoteca
cercanía
tocadiscos
cigarrillo
extensión
enseñanza
aserradero
talabartería

balancear
obstinada
independencia
inercia
achacar
roedor
ejercicio
magnitud
hermano
años
mientras
entonces
transportar
sala
principal
cocinera
sirvienta
vacas
establo
además
joven
leche

sabio
estrellas
oportunidad
mariposa
cámara
respuestas
matar
papel
asno
hizo
cuerpo
pierna
ollas
pedida
importante
desesperada
mayor
sargento
aspecto
penas
mundo
parte

droguería	manteca	persona
aguerrido	gallinas	quedaron
águila	pollos	método
dirigía	pavimento	amistad
llover	faenas	día
corredor	caballo	jardín
tejado	inútil	grapa
redondo	alcalde	también
secreto	terrible	dificultades
mayoría	carpintero	magnífico
algún	lavadero	línea
cerrar	subterráneo	peor

****

III. PALABRAS AGUDAS, LLANAS, ESDRUJULAS Y SOBREESDRUJULAS

Las palabras se clasifican en (1) *agudas, (2) graves o llanas, (3) esdrújulas o (4) sobreesdrújulas.* La clasificación está basada en la sílaba que lleva la fuerza de la voz en la palabra.

1. *Palabra Aguda*: palabras que llevan la fuerza de la voz en la última sílaba.
   Ejemplo: a/*bril* cor/*tés*

2. *Palabra Llana*: palabras que llevan la fuerza de la voz en la penúltima sílaba.
   Ejemplo: *me*/sa *cár*/cel

3. *Palabra Esdrújula*: palabras que llevan la fuerza de la voz en la antepenúltima sílaba.
   Ejemplo: *mú*/si/ca fan/*tás*/ti/co

4. *Palabra Sobreesdrújula*: palabras que llevan la fuerza de la voz en la anteantepenúltima sílaba.
   Ejemplo: *dé*/mo/se/lo

Ejercicio A. Clasifique las siguientes palabras: A = Aguda Ll = Llana E = Esdrújula
(Las respuestas a esta sección están en la pág. 149)

allá	contento	lengua	planta
allí	dígame	malo	poética
ámbito	dominio	marfil	prisión
americano	ejercicio	mientras	pureza
artista	esencial	mundo	rápido
así	favor	negro	sábado
cabeza	fila	noche	sellar
calabaza	fraile	noviembre	simple
calma	gratitud	olor	soledad
celda	hipótesis	pantalla	sube
clase	juicio	peor	también
común	lavemos	perfecta	único

IV. REGLAS DEL ACENTO ORTOGRAFICO

1. Si la palabra es aguda y termina en vocal (**a, e, i, o, u**), **n**, o **s**, se le pone acento ortográfico
   Ejemplo: cor/*tés* ven/*drás* a/*llí*
2. Si la palabra es llana y termina en consonante, con la excepción de la **n** o **s**, se le pone acento ortográfico.
   Ejemplo: *cár*/cel a/*zú*/car.
3. Si la palabra es esdrújula, no importa en que letra termine, siempre se le pone acento ortográfico.
   Ejemplo: *mú*/si/ca *ín*/do/le *cás*/ca/ra
4. Si la palabra es sobreesdrújula, no importa en que letra termine, siempre se le pone acento ortográfico.
   Ejemplo: *dé*/mo/se/lo.

****

Ejercicio A: Clasifique las palabras y ponga el acento ortográfico cuando se necesite. (Las respuestas a esta sección están en la pág. 149)

ademas	alla	America	arabe
alegrar	alli	aprovechar	arboles
aleli	ambito	aqui	articular

artista
asi
Atlantico
atmosfera
avaro
azucar
cajon
calido
caja
capitan
catedral
codigo
colera
comamos
comico
comodo
comun
corazon
corazones
cosmopolita
crepusculo
criticar
cronica
debiles
declarar
defecto
dificil
digno
divan
dramatica
echelo
electrico
escritores
escrupulo
espiritu
esplendida
esten
etereos
exito
exoticas
factor
fallar
familiar
fanatico
fanfarron
feliz
feretro
fertil
frances
frenesi
frijol
fuerte
funebre
galon
hablabamos
herido
heroes
hipotesis
historico
idolatrar
idolo
ignorancia
imagenes
importar
impresion
inmovil
interes
intimo
inutil
jovenes
juventud
laberinto
lagrimas
lampara
latin
legitima
libertad
licito
lider
limon
linea
lirico
livido
logica
longitud
manton
matrimonio
mayor

medico
medula
metafora
metodo
metropoli
mexicano
monte
muchacho
mundo
musica
nave
necio
nitidos
noviazgo
obstaculo
ojala
opaco
oportunidad
orden
orgullo
origenes
padrino
pagina
paisaje
palida
paloma
pantalon
panteon
paquete
parabola
parchar
parece
parranda
patron
peliculas
peligroso
perdon
perfil
piramide
poetica
politica
primogenito
principe
problemas
proxima
pudo
quiza
rapido
rayado
razon
razonar
reclamado
redito
reflejan
relampago
renovar
resumen
revistas
rincon
salon
satira
sillon
simbolos
surtidor
sutiles
tecnica
torreon
tragico
tunel
unico
vastagos
veridico
verosimil
vestibulo
vibora
victima
vision
bisturi
varon
varonil
vago
vacilar
barco
vino
veloz
verdadero
barbaro
barbero

V. EL DIPTONGO Y EL ACENTO ORTOGRAFICO

1. DIPTONGO: DEFINICION

Un **diptongo** es la combinación de una vocal fuerte (a, e, o) con una vocal débil (i, u), o dos vocales débiles en la misma sílaba. En español hay 14 diptongos:

ai - ai/re	ue - jue/ves
ia - pa/tria	oi - moi/ses
au - au/tor	io - o/fi/cio
ua - a/gua	ou - Lour/des
ei - plei/to	uo - cuo/ta
ie - tie/rra	iu - ciu/dad
eu - eu/ro/pe/o	ui - cui/dar

1.1. DIPTONGO Y EL ACENTO

Para que el diptongo lleve acento ortográfico, es necesario que ocurran **dos** cosas:

(1) el diptongo tiene que ser la sílaba que lleve la fuerza;
ejemplo: des/***pues***, ***hues***/ped, ***trian***/gu/lo

(2) el diptongo tiene que seguir las reglas del acento ortográfico. Es decir:

A. palabra aguda terminada en vocal n, o s;
Ejemplo: des***pués***

B. palabra grave terminada en consonante menos n o s;
Ejemplo: ***hués***ped

C. palabra esdrújula
Ejemplo: ***trián***gulo

1.2. DIPTONGO Y VOCAL FUERTE

Si el diptongo va a llevar acento ortográfico, éste siempre cae en la **vocal fuerte** (a,e,o).

1.3. Los monosílabos con diptongo no se acentúan: *dio, vio, fue, fui, bien, dios.*

Ejercicio A. Ponga acentos ortográficos si se necesitan. (Las respuestas a esta sección están en la pág. 150)

matrimonio	despues	herencia	convulsion
nautico	establecimiento	obligacion	lengua
pueblo	parecio	murio	zaguan

VI. EL ADIPTONGO Y EL ACENTO ORTOGRAFICO

1. ADIPTONGO

El **adiptongo** ocurre cuando se rompe el diptongo. El **adiptongo** es casi igual que el diptongo. Es la combinación de una vocal fuerte y una vocal débil o dos vocales débiles pero en **sílabas separadas**. El adiptongo **siempre** lleva acento ortográfico en la **vocal débil: i, u**.

Ejemplos: **pa / ís** **pú / a** po / e / **sí / a**

****

Ejercicio A. Ponga acentos ortográficos donde se necesitan indicando si hay adiptongo (Ad.) o no. (Las respuestas a esta sección están en la pág. 150)

rei	hacian	acentuar
caballeria	oigo	dias
desafios	saliendo	travieso
leo	monotonia	sueña
comia	estaria	viviria
egoismo	siente	decias
pedia	sombrio	atraviesa
valiente	geografia	bujia
fantasia	compañia	hipocresia
tenia	guia	haria
vertia	poema	geometria
pais	psicologia	caceria
adios	autentico	autobus
dieciseis	egoista	energia
frio	grua	judio
heroico	mesias	miercoles

VII. RESUMEN: PASOS DEL ACENTO ORTOGRAFICO

1. Divida las palabras en sílabas.
   ma/iz car/cel des/pues

2. Vea si hay adiptongo.

   ma/iz (adiptongo)

   car/cel (no hay adiptongo)

   des/pues (no hay adiptongo)

3. Si hay adiptongo ponga acento en la vocal débil y pase a la siguiente palabra.

   maíz

4. Si no hay adiptongo, entonces encuentre la fuerza de la voz.

   car/cel

   des/***pues***

5. Clasifique la palabra.

   car/cel (llana)

   des/***pues*** (aguda)

6. Aplique la regla. Si sigue la regla acentúe la palabra. Si no la sigue no la acentúe.

   cárcel (sigue las reglas de las llanas o graves)

   des***pués*** (sigue las reglas de las agudas)

   [Si la palabra debe llevar acento y esta palabra lleva diptongo, el acento debe llevarlo la vocal fuerte:
   des*pués* (diptongo "*ue*")]

REPASO: EL ACENTO ORTOGRAFICO

I. Clasifique las siguientes listas de palabras y ponga acentos ortográficos. A = Aguda
Ll = Llana E = Esdrújula Ad. = Adiptongo
(Las respuestas a esta sección están en la pág. 151)

alas	ajuar	apatia	atencion
abandonar	alacran	apenas	atmosfera
abismo	alamo	apio	autentica
abogado	alazan	apreciar	autobus
abordar	alegria	aprieto	automovil
abrigo	aleli	aqui	avaro
abril	aleman	arabe	avion
abrochar	algodon	artista	azul
aceituna	alla	arbol	bailarin
acentos	alli	area	balon
actor	almorzar	arena	banderon
actriz	alto	argentino	barba
acuerdate	apetito	aristocrata	basica
ademas	amanecia	arroz	baston
adios	amarillo	arruga	bestias
admirar	ambito	articulos	bicicleta
agil	America	artistica	bigote
agosto	anecdota	asi	biografia
ahijado	ojos	asomandose	bisabuelo
aire	anunciar	aspiradora	boa
ajo	año	astillaran	boca

bostezo
boleto
bolsa
bombero
boqueron
bordon
boton
boveda
brazos
brujeria
brujula
bufanda
buro
buzon
caballo
cabeza
cable
cafe
caja
cajon
calcetin
calor
camaleon

calabaza
camara
camaron
camion
camioneta
camison
campana
cantico
canal
canasta
cancha
cancion
canicas
cantante
capital
capitulo
caracter
carcel
carmesi
carniceria
carrizo
cascara
castigos

catedral
categoria
catolico
causa
cayo
cebolla
cepillo
cerdo
cerezas
champiñon
charlatan
chile
chofer
cielo
cilantro
circo
ciudad
ciudadania
clasicos
comamos
comenzo
comerse
comio

comoda
compadre
compañia
comportarse
comun
condenado
conocimiento
conquista
considerar
consideraria
conspirar
consul
contestame
continente
convulsion
corazon
corazones
cornete
corria
corrio
cortina
corto
cosmetico

cosmopolita
costumbres
crema
crepusculo
crianza
crisis
cronica
cuadro
cuello
cuero
cuerpo
culpable
cumplir
cuñada
curva
debil
decente
deciamos
defensa
delfin
delgado
demas
democrata
democraticos
dependencia
dependienta
describe
despues
desvan
desvelado
detergente
dia
diciembre
dieciseis
dificil
digamos
dinamico
disco
distinto
divertido
divina
documento
domesticas
domingo
dominio
dramatica
dulceria
durazno
echelo
economia
economico
educarse
egoismo
electrico
electronico
energia
enero
entiende
entiendelo
entremos
epoca
equivocacion
escaparate
escorpion
escribamos
esencial
eslabon
espiritu
espiritual
esplendida
espontaneo
estadio
estatico
estereos
estudiemos
etica
exigieron
existia
exito
exoticas
expuesto
expuso
extraño
fabrica
facil
faisan
familiar
familias
fantasia
fantasma
farmacia
farol

febrero
feliz
feo
feroz
fertil
festin
festines
filosofia
fisica
flauta
formulas
fortaleza
fragil
fragiles
frances
fresa
fresco
frio
fuerte
fuerzas
funebre
galleta
galon

galones
gato
geografia
geografica
geologo
golosina
gordo
gracia
grasienta
grises
griteria
grua
guapo
guia
habia
habilidad
hablabamos
hablame
hablemos
hacienda
hamaca
harapienta
harina

hechiceria
heladeria
helice
hereje
herencia
herido
heroes
heroismo
herradura
higuera
hijo
hipocrita
hipotesis
historia
historico
hombro
hombros
huerto
huesped
humanidad
humano
ideales
identica

idioma
idiomaticas
iglesia
igualdad
ilusion
imaginacion
indice
indio
inedito
ingenieria
ingles
inmovil
instintivo
inteligente
interes
interrumpio
inutil
irlandes
ironia
italiano
jabon
jalon
jamas

jamon
japones
jardin
jardinero
jerez
jitomate
jirafa
jorongo
jovenes
judios
jueces
jueves
julio
junio
laberinto
labios
lacio
lamina
lampara
lapicero
lapiz
largo
latin
lavadora
lechuga
legumbres
leida
lejania
lengua
lenguajes
leon
levantar
leyes
liberar
libreria
ligera
limon
limpia
linea
lirico
liron
liston
literario
literatura
livido
logico
luces
lunes
maciza
maiz
maleta
maletin
manos
manton
maquina
margarita
marisco
marinero
mariachi
martes
martillos
marfil
marzo
maternidad
matrimonio
maximo
mayo
mayoria
mecanico
medico
mejor
melon
mentira
merendar
mesias
metafora
metal
metiendo
metodo
metropoli
mexicano
mentira
mientras
miercoles
minoria
molde
moneda
mono
monton
mordiendose
moreno
muere

mula
multiples
murio
museos
musica
nacio
nacion
naciones
naranja
nariz
natacion
nativo
naturalisimo
necesitan
nieto
ningun
nitidas
novela
noviembre
nuera
obligacion
obrero
ofrecía
oi
oimos
ojala
ojos
oregano
oreja
organico
organizacion
organo
ortografia
ostion
padrino
pagina
pais
paisaje
pajaro
palabras
paladares
palida
panaderia
pantalla
pantalon
papeleria
paradojico
parecio
paredon
parpado
pastura
patria
patriotico
patron
pedian
pelicano
pelicula
pelo
pelota
peluquero
peninsula
perdon
pereza
periodico
periodismo
periodistico
perro
personalidad
peruano
piernas
piloto
piña
piramide
pizarron
planta
plastico
platillo
plebeyo
pluma
podra
poesia
poeta
poetica
politica
pondran
ponga
popular
portugues
poseen
postre
practica
prestamo

primogenito
prision
pristina
problema
profesion
provincia
proximos
pudo
pueblecito
puerta
pulmon
pupitre
quimica
quiza
raices
raiz
rama
rapido
raqueta
raton
reflejan
refresco
regimen
regio
region
reiste
reian
reloj
renovacion
repetian
repollo
respaldo
resumen
retrato
revista
rigida
rincon
riñon
romance
romantica
rubi
rubio
sabado
sacerdote
saco
saldria
salgamos
salchicha
santo
sandia
sangria
sarape
sarten
satira
sauce
secadora
segun
seleccion
semana
semejantes
sentarse
sentia
sentiran
separacion
septiembre
serio
sicologia
sigamos
siguelo
silaba
simbolos
simpatico
situa
sobrino
sociologo
sofa
solida
sombrero
sombrio
sonaria
sonrien
sopa
sostenia
subito
sucia
suegro
surtido
sutil
tambien
tapon
tarjeta
techo

VIII. EL ACENTO Y LAS PALABRAS INTERROGATIVAS O EXCLAMATIVAS

Las siguientes palabras cuando aparecen como **interrogativas** (haciendo preguntas) o en **exclamaciones** siempre llevan acento ortográfico.

1.	¿Cómo?	¿Cómo te llamas?
	¡Cómo!	¡Cómo me gustó la película!
2.	¿Cuál?	¿Cuál película trajiste?
	¿Cuáles?	¿Cuáles películas trajiste?
3.	¿Cuándo?	¿Cuándo llegaste?
	¡Cuándo!	!Cuándo me iba a ir con él!
4.	¿Cuánto?	¿Cuánto dinero traes?
	¡Cuánto!	¡Cuánto dinero traes!
5.	¿Cuánta?	¿Cuánta familia vino?
	¡Cuánta!	¡Cuánta familia vino!
6.	¿Cuántos?	¿Cuántos estudiantes hay?
	¡Cuántos!	¡Cuántos estudiantes hay!
	¿Cuántas?	¿Cuántas estudiantes hay?
	¡Cuántas!	¡Cuántas estudiantes hay!
7.	¿Qué?	¿Qué deseas?
	¡Qué!	¡Qué problemas!
8.	¿Quién?	¿Quién lo creerá?
	¡Quién!	¡Quién lo hubiera creído!
	¿Quiénes?	¿Quiénes lo creerán?
9.	¿Por qué?[2]	¿Por qué no vienes?
10.	¿Dónde?	¿Dónde vives?

---

[2]"Porqué" se escribe como una sola palabra y con acento ortográfico únicamente cuando significa "la razón" ("No me dijo el porqué del error". En cualquier otra situación donde tenga función de palabra interrogativa o exclamativa, siempre se escribirá separada y con acento (por qué).

IX. EL ACENTO DIACRITICO

1. Este acento se pone en pares de palabras monosilábicas de idéntica ortografía para diferenciar el significado. "Solo" y "aun" son las únicas palabras de la lista que no son monosílabos.

(1) **dé** (del verbo **dar**) y **de** (la preposición)
Necesito que me dé el contrato de Juan.

(2) **dí** (del verbo **decir**) y **di** (del verbo **dar**)
Dí si crees que yo no le di el dinero.

(3) **sé** (de **ser** y **saber**) y **se** (pronombre reflexivo)
Sé bueno con él. Yo sé que Juan se aplicará en los estudios.

(4) **vé** (del verbo **ir**) y **ve** (del verbo **ver**)
Vé al cine hoy y ve la película.

(5) **aún** (de **todavía**) y **aun** (de **hasta**)
Javier aún no se quiere ir.//El problema es tan fácil que aun el niño lo sabe.

(6) **él** (pronombre personal) y **el** (artículo)
Yo no creo que él necesite el libro.

(7) **tú** (pronombre personal) y **tu** (adjetivo posesivo)
Tú necesitas tu automóvil.

(8) **mí** (pronombre preposicional) y **mi** (adjetivo posesivo)
A mí no me pidas mi libro.

(9) **té** (sustantivo) y **te** (pronombre indirecto)
Miguel, el té que te puse en la mesa estaba frío.

(10) **más** (adverbio de cantidad) y **mas** (conjunción)
El quiere más dinero mas no es posible.

(11) **sólo** (adverbio que significa "solamente") y **solo** (nombre o adjetivo)
Yo sólo no quiero verte solo.

(12) **sí** (afirmativo), **sí** (pronombre) y **si** (conjunción).
Sí debes permitir que él hable de sí mismo si se queda.

(13) **ó, o** La letra "**o**" se acentúa solalmente cuando aparece entre números para no confundirla con el cero: 2 **ó** 3 libros.

1.1. Alternativa para memorizar palabras con acento diacrítico.
Estas palabras también se pueden memorizar haciendo uso del inglés.

CON ACENTO	SIN ACENTO
dé - to give	**de** - of, from
dí - to say	**di** - to give
vé - to go	**ve** - to see
sé - to know	**se** - yourself, yourselves, himself, herself, themselves
sé - to be	
aún - still	**aun** - until
él - he, him	**el** - the
tú - you	**tu** - your
mí - me	**mi** - my
té - tea	**te** - yourself
más - more	**mas** - but
sólo - only	**solo** - alone
sí - yes	**si** - if

sí - himself, herself, themselves

o - or. Put an accent only when when this letter is between numbers to avoid confusing it with the zero(0).

Ejercicio. Ponga acento a las palabras interrogativas, exclamativas y a las que lleven acento diacrítico. (Las respuestas a esta sección están en la pág. 155)

1. Ve a comprar la soda.

2. Te di el traje.

3. No se la respuesta.

4. El joven se sienta ahora.

5. No te quisiste tomar el te.

6. Solo nos falta tu papel.

7. El hombre estaba solo.

8. Quiero que me de el auto de Antonio.

9. Si me voy mañana, tu vas por mi.

10. El escritorio es de el no de Luis.

11. ¿Por que hablan de mi?

12. Felipe, ve tu con el.

13. Ve con los estudiantes.

14. Yo no necesito una blusa mas. Victoria si.

15. Le di la chamarra a mi hermano.

16. No se si Chuy se quebró la pierna.

17. ¿Por que te quieres ir solo? Llévame a mi.

18. ¡Que bueno que vinieron tu y el a verme a mi!

19. A mi no me quedan estos zapatos.

20. Si, Miguel. Si puedo, si te hablo.

21. Ve con tu mamá para que te de el dinero.

22. No se si el te dio el dinero.

23. ¿Donde compraste tu el te?

24. Solo quiero que a mi no me moleste.

25. El te necesita a ti no a mi.

26. Ve a los documentos, y ve si yo se lo que digo o no.

27. Si no llegas a tiempo, yo me voy solo.

28. No se si Juan se viene hoy.

29. Solo te quiero pedir un favor.

30. A mi aun no me ha hablado.

31. Ve a ver que fue ese ruido.

32. ¿Como se te ocurre decir que aun no termina el trabajo?

33. Se bueno y ve a traerme mas te.

34. A mi me consta que el se fue solo.

35 Si, Misael. Yo si quiero ir si puedo.

36. ¿Cuando quieres tu que te traiga el te?

37. ¿Como te va con el?

38. ¡Que bien habla de ti!

39. A ti te gusta mas el traje de el que el mío.

40. ¿Por que te interesa mi diario?

41. Aun no se si el ve bien o no.

42. Di si tu quieres que el te de el te frío o caliente.

REPASO

(Las respuestas a esta sección están en la pág. 156)

I. PONGA LOS ACENTOS NECESARIOS A LOS SIGUIENTES PASAJES.

Ayer que te lleve a la universidad llegaste tarde porque mi automovil se descompuso a mitad del trayecto. Siento mucho que llegaramos tarde. ¡Que problemas! Ojala yo tuviera un buen auto. Me gustaria comprarme uno como el que va alla -- fijate lo bonito que esta; pero ¿donde encontrare uno tan economico como el mio? Voy a empezar a buscar. Quizas encuentre uno. Mientras tanto, sera mejor que mañana nos vayamos con Jorge. No quiero que lleguemos tarde otra vez. Bueno, pero mejor cambiemos de tema. A mi ya me dio hambre con la platica. Te invito un cafe o un te. Es mas, tambien te pago la comida como disculpa por haberte hecho llegar tarde. Oye, ¿y por que despues no nos vamos de pinta? Al cabo vamos a estudiar el acento, y hoy no quiero saber nada de ortografia. ¿A poco tu si?

****

De los dos trajes me gusta mas este. Creo que lo comprare. Ese otro que esta en el rincon tambien me gustaria medirmelo. ¿Cual te gusta mas? ¿El azul? Esta bien. Lo comprare. Ademas del traje, necesitare una corbata pero las de aqui no me agradan. Vamos a la tienda de enfrente. Mira. Parece que tiene mejor seleccion. Valdria la pena que entraramos pero antes, ¿por que no comemos algo? Vamos al cafe frances. La comida alli esta riquisima.

****

El sacerdote rocio a los indigenas con agua bendita. Todos hacian esfuerzos porque les alcanzara el agua sagrada. Lo mismo ocurrio cuando les empezo a echar la bendicion. Muchos de los fieles pensaban: Vale mas esperarnos hasta que nos alcance la mano del padrecito porque quien sabe cuando volveremos aqui al pueblo. ¿Por que se tardaran tanto los padrecitos en ir a la aldea? Si fueran por alla por lo menos dos veces al año, nos quitarian los pecados y asi alcanzariamos la salvacion en caso de que nos sorprendiera la muerte. ¿No sera que no van porque se les hara muy lejos? A lo mejor. Ojala que algun dia les de por ir. Estariamos muy agradecidos.

****

Despues de los bautizos y la misa, empezo la celebracion. Todos comian y bebian con alegria. No todos tomaban bebidas alcoholicas. Habia personas que tomaban te, cafe o limonada. Cuando ya oscurecia, alguna gente empezo a retirarse pero la mayoria se quedo para descansar y regresar a sus casas al dia siguiente. De los que se quedaron, algunos se pusieron a recordar los sucesos del dia; otros a recordar otras epocas; a otros les dio por cantar. Los niños estaban contentos. Tenian la oportunidad de desvelarse y jugar a "Las escondidas", "La roña" o "Los encantados". Los mas atrevidos se dirigian al rio a continuar su platica infantil.

Fue Tobias, el hijo del tendero, el que lo descubrio. Se habia alejado mas lejos que los demas niños arrastrado por la curiosidad de la luz de una fogata. Se fue acercando, y descubrio que alumbraba a un hombre muerto. El niño se echo a correr, y aviso a los mayores de su descubrimiento. A estos hasta la borrachera se les quito, y su sorpresa fue grande al ver que conocian al difunto. Era Luciano, el hombre que habia llegado de la sierra hacia unos meses y del que nadie sabia nada. Habia sido un hombre de unos cincuenta años, grande, fuerte y muy formal. Respetado muchisimo, la gente se pregunto quien podria haberle dado muerte a una persona de la calidad de Luciano. Despues se supo que habian sido los Zamora, dos hermanos pendencieros que a todos intimidaban. Una vez Luciano les propino una golpiza porque estaban golpeando a un indefenso campesino. Los Zamora nunca se lo perdonaron. Lo estuvieron cazando hasta que lo mataron a traicion la noche que lo encontro Tobias. Como no habia funeraria, decidimos velarlo en la cantina y descansarlo en la mesa de billar. Todo estaba muy callado.

De repente se oyo un alboroto, y entraron los soldados con un coronel al mando ordenando a todos los que estabamos ahi presentes que le dijeramos quien habia matado al difunto. Nadie queria decirlo hasta que yo lo hice. Mientras tanto, los Zamora andaban muy contentos celebrando la muerte de Luciano. Al ver al coronel, lo saludaron muy amablemente. Cuando les pregunto si ellos eran los hermanos Zamora, y estos asintieron, el oficial, sin decir "agua va", saco la pistola y mato a los dos ahi mismito.

Despues supimos que el coronel era hermano de Luciano.

Antes de irse con su tropa, me pregunto que por que yo habia sido el unico que le habia dicho quien habia matado a su hermano. Yo le dije que porque el me habia defendido cuando los Zamora me estaban golpeando. Me dio las gracias y me dijo que si algun dia necesitaba su ayuda que el me la daria. Se fueron.

Desde entonces, todos vivimos muy tranquilos; y a mi nadie me molesta pues saben que tengo vara alta con el gobierno.

****

Hubo un tiempo en esta region cuando los trabajos estuvieron muy escasos. Aun mas que ahora. Habia tan poco que los jovenes tenian que irse de sus aldeas y pueblos para buscarlo en otros lugares. Era muy triste pues se quedaban solos las mujeres y los hijos. Dos amigos, uno soltero y otro casado, tuvieron que irse. Despues de muchos abrazos y mucho llanto, se despidieron de sus esposas prometiendoles que regresarian pronto.

Los dos jovenes encontraron trabajo en un rancho con un hombre con quien nadie queria trabajar. Se decia que ese hombre era brujo, pero la verdad era otra; el hombre era una persona muy estudiada y con mucha experiencia en la vida. Lo que le llamaban brujeria, en realidad era sabiduria. Los dos jovenes se llevaron bien con el, y trabajaron durante varios años. Mandaban dinero a sus familias, y el resto lo dejaban encargado con el hacendado. Un día, decidieron que ya era tiempo de regresar a su casa. Fueron con el patron, y le dijeron lo que deseaban hacer. El dueño le dijo que era buena idea. Fue a su habitacion, y trajo el dinero que les tenia ahorrado. Antes de entregarselo, se dirigio a ambos y les dijo que podian recibir su dinero, o les podria dar tres consejos. El hombre soltero contesto que el preferia recibir su dinero. El hacendado entonces se lo dio. El casado opto por los tres consejos. Entonces el dueño le dijo, "El primer consejo es que no dejes camino por vereda; el segundo, que no preguntes por lo que no te importa; y el tercero, que no te dejes llevar por las apariencias".

Al dia siguiente, los dos amigos salieron muy temprano rumbo a su casa. El soltero iba muy contento pues llevaba todo su dinero. El casado iba pensando si habia hecho mal en haber escogido los tres consejos. Despues de mucho andar, llegaron a una loma desde donde se veia una hacienda. Se alegraron mucho pues de tanto caminar ya tenian ampollas en los pies. Vieron una vereda que los llevaria mas pronto a la hacienda. El amigo soltero sugirio que la tomaran. Ya iban a tomarla cuando el casado se acordo del primer consejo. Entonces le dijo a su amigo, "Mejor vamonos por el camino, que yo pague mucho por el consejo de no dejar camino por vereda". El amigo se burlo de el, y le dijo que lo esperaria en la hacienda.

Cuando llego a la hacienda, salio un hombre a recibirlo. Dijo ser el dueño de la hacienda la cual tambien servia de fonda. Se extraño que su amigo todavia no hubiera llegado. Iba a preguntarle al hacendado cuando vio dos hombres a caballo que traian a su amigo en ancas. Venia muerto. Los dos hombres dijeron que lo habian encontrado en la vereda envenenado por el piquete de una vibora.

Nuestro amigo se puso muy triste, pero agradecio haber cambiado su dinero por los tres consejos. El primero ya le habia salvado la vida.

El hacendado lo invito a que pasara a comer. El hombre agradecio la invitacion y acepto. Estaba comiendo y platicando con el dueño cuando oyo ruidos debajo de la mesa. Penso que sería un perro, y tomo una tortilla para tirarsela. Cuando estaba a punto de hacerlo, noto que no era un perro sino una mujer andrajosa y sucia que andaba a gatas como si fuera un animal. En vez de tirarsela, le hizo un taco y se lo puso en un plato. Cuando iba a darselo, el propietario le dijo, “Amigo, los animales comen en el suelo no en plato. Avientesela a ese animal”.

El buen hombre, atemorizado, hizo lo que le mandaba el propietario. La mujer engullo la tortilla. El hombre estuvo a punto de preguntarle al propietario por que andaba así la mujer, pero se acordo del consejo de no preguntar por lo que no le importara. El propietario le pregunto que si no queria saber por que andaba en esas condiciones la mujer a lo cual respondio el hombre que razones habria de haber pero que a el no le importaban. El propietario se sorprendio y le dijo, “Usted es el primer hombre que no es curioso, y por su discrecion le voy a contar una historia. Esa mujer es mi esposa. Hemos tenido este restaurante desde hace muchos años, y hemos hecho buen dinero. Siempre nos llevabamos bien hasta que vino un metiche, un hombre envidioso que me vino a contar algo que no le importaba. Me dijo que mi mujer me engañaba con un amigo mio. Como recompensa por el chisme que me trajo, lo mate. Despues tambien mate al amante de mi mujer. A ella, como castigo le dije que andaria a gatas como un animal por debajo de las mesas comiendo las sobras de los clientes. El castigo se lo levantaria cuando llegara un hombre que no preguntara por que la traia de esa manera; es decir, un hombre que no preguntara por lo que no le importara. Han pasado muchos años. Desde entonces, he matado a muchos por preguntar acerca de lo que no les importa.

Sin embargo, hoy gracias a usted la penitencia de mi mujer ha llegado a su termino. Por su discrecion, le voy a hacer a usted unos regalos. En mis establos tengo muchos caballos, monturas y rifles; en mi casa tengo mucho dinero. Quiero que escoja un caballo, una montura, y un rifle; los que mas le gusten. Despues entre conmigo a mi casa y llene sus alforjas de dinero". El hombre asi lo hizo. Se despidieron, y le dijo el hacendado, "Que le vaya bien, amigo, y que Dios lo siga protegiendo de posibles desgracias como lo protegio de mi". El hombre se fue contentisimo aunque tambien triste por la muerte de su amigo. Iba pensando que con el dinero que llevaba podria darle algo a la viuda para que no quedara desamparada.

Despues de unos dias llego a su pueblo. Cuando diviso su casa, reconocio a su mujer. Estaba afuera sentada bajo un arbol con un hombre que tenia la cabeza en su regazo. Dijo el hombre, "¡Ay de mi! Que mi mujer me engaña". De inmediato saco el rifle para matarlos. Cuando estaba a punto de dispararles se acordo del tercer consejo de no dejarse llevar por la apariencias Guardo su rifle y cabizbajo se fue acercando a su mujer y al hombre con quien estaba. Su mujer lo reconocio, y loca de alegria le dijo al hombre que estaba en su regazo, "¡Levantate! ¡Mira que por fin ha llegado tu padre!

EXAMEN

(Las respuestas a esta sección están en la pág. 159)

1. Defina los siguientes términos.

1. Acento ______________________________

2. Acento ortográfico ______________________________

3. Acento prosódico ______________________________

4. Palabra llana o grave ______________________________

5. Palabra esdrújula ______________________________

6. Palabra aguda ______________________________

7. Vocales fuertes ______________________________

8. Vocales débiles ______________________________

9. Diptongo ______________________________

10. Adiptongo ______________________________

II. Conteste las siguientes preguntas.

1. ¿Cuándo llevan acento ortográfico las palabras agudas?

   ____

2. ¿Cuándo llevan acento ortográfico las palabras llanas o graves?

   ____

3. ¿Cuándo llevan acento ortográfico las palabras esdrújulas?

   ____

4. ¿Cuándo llevan acento ortográfico los adiptongos?

   ____

5. ¿En qué vocal llevan el acento ortográfico los diptongos?

   ____

6. ¿En qué vocal llevan el acento ortográfico los adiptongos? ______________________

7. ¿Cuándo llevan acento ortográfico los diptongos?

____

III. Ponga acentos ortográficos a las palabras que lo necesiten.

1. La culpa de todo lo que el haga echamela a mi.

2. Perdi todo mi interes cuando me aseguro que jamas lo conoceria. Debia habermelo imaginado.

3. Se me hacian largos los dias.

4. Dejelo aqui para evitarnos lios. Pongamoslo hacia atras. ¡Tu! ¿Que necesitas?

5. El se acordaria despues que nadie lo ayudo cuando salio de la carcel.

6. Llego al rio y alli se durmio.

7. Yo le aseguro que su hijo no reprobara. Dejemelo aqui.

8. ¿Por que a el tambien le toco la bendicion si no es catolico?

9. Estaba escondiendose en el rio.

10. ¿De quien tenias miedo? Se pregunto el mismo.

11. Oyo a sus tios que le decian adios.

12. "Hacia frio", se confeso a si mismo.

13. El aun esta enfermo.

14. Ellos son los elegidos. Y entre esos estas tu.

15. Se despidio tomandome las mejillas y besandomelas .

16. Se levanto y se quedo en la sacristia.

17. Detras de el solo se oyo el golpe.

18. Llego en automovil al barrio. Abrio la puerta, salio, se sacudio el polvo, y bajo sus maletas.

19. Me sonrio y dijo, "Crei que no vendrias".

20. Despertandose, el la ilumino con la lampara.

21. Estudiare mas. Avisame cuando salgas de la carcel.

22. Digale a su patron que alla se conoceran.

23. Las burlas que pase, yo se que nunca se me olvidaran.

24. Trajo la television el tecnico. Dijo que ya estaba arreglada. Ahi dejo la cuenta.

25. El joven agradecio nuestra ayuda, nos pidio perdon, y juro que no cometeria mas delitos.

26. Era importante que fueramos a la caballeria.

27. No le intereso la discusion.

28. Lo que queria era que salieramos de alli lo mas pronto posible.

29. No se por que no te intereso la pelicula.

30. A mi la comida me parecio muy sabrosa.

31. Yo no sabria decir si tu te fuiste sola o con el.

32. Nos invito un te para que no dijeramos que no nos apreciaba.

33. No se que harias tu sin mi.

34. ¿Quienes estaran arreglando el porton?

35. ¿Por que no me escribias cuando estabas en Europa?

36. A mi me habria gustado que nos quedaramos de huespedes en la pension.

37. No se que queria el huesped de mi.

38. Yo no se por que queria que fueramos con el.

39. A ti no te parecio buena idea que nos desvelaramos.

40. A mi si se me haria dificil dejar mi pais por mucho tiempo.

41. Lo que hacia facil los examenes de ingles eran los repasos que teniamos durante la clase.

42. No solo el ladron cayo en la carcel sino tambien el politico que lo ayudo.

43. Seria indigno que no protestaramos la injusticia del regimen.

44. Fue una tonteria que hablaramos de nuestros planes delante de el.

45. Quizas no deberias decirle a los jovenes a que hora llegaras el sabado.

RESPUESTAS A LA FUERZA DE LA VOZ Y A LOS ACENTOS

Ejercicio D. Subraye la sílaba tónica. (Respuestas a la pág. 116)

mímico
gesto
fonético
inquietud
regionalismo
lingüístico
hacían
obsequiada
género
pueblerinos
préstamo
usurero
urgente
profundo
sastre
estricto
admitir
clave
tutear
humillada
pensamiento
fierro
partido
regimiento
verano
alrededor
agua
allanar
pared
grave
inteligencia
ascendencia
crianza
intérpretes
distinguido
imperio
arrugado
camarada
talento
diarios
paterna
nodriza
padre

resistir
escenario
mesero
cortina
hipoteca
cercanía
tocadiscos
cigarrillo
extensión
engullido
terraza
dueños
balancear
obstinada
independencia
inercia
achacar
roedor
ejercicio
magnitud
hermano
años
mientras
entonces
transportar
sala
principal
cocinera
sirvienta
vacas
establo
mantel
occiso
población
sabio
estrellas
oportunidad
mariposa
cámara
respuestas
matar
papel
asno

hizo
cuerpo
pierna
ollas
pedida
importante
desesperada
mayor
sargento
aspecto
enseñanza
aserradero
talabartería
droguería
aguerrido
águila
dirigía
llover
corredor
tejado
redondo
secreto
mayoría
algún
cerrar
además
joven
leche
manteca
gallinas
pollos
pavimento
faenas
caballo
inútil
alcalde
terrible
carpintero
lavadero
subterráneo
penas
mundo
parte

persona	día	dificultades
quedaron	jardín	magnífico
método	grapa	línea
amistad	también	peor

Ejercicio A. Clasifique las siguientes palabras: A = aguda L l=llana E = esdrújula (Respuestas a la pág. 119)

allá - A	contento - Ll	lengua - Ll	planta - Ll
allí - A	dígame - E	malo - Ll	poética - E
ámbito - E	dominio - Ll	marfil - A	prisión - A
americano - Ll	ejercicio - Ll	mientras - Ll	pureza - Ll
artista - Ll	esencial - A	mundo - Ll	rápido - E
así - A	favor - A	negro - Ll	sábado - E
cabeza - Ll	fila - Ll	noche - Ll	sellar - A
calabaza - Ll	fraile - Ll	noviembre - Ll	simple - Ll
calma - Ll	gratitud - A	olor - A	soledad - A
celda - Ll	hipótesis - E	pantalla - Ll	sube - Ll
clase - Ll	juicio - Ll	peor - A	también - A
común - A	lavemos - Ll	perfecta - Ll	único - E

Ejercicio A: Ponga acento ortográfico cuando se necesite. (Respuestas a la pág. 119)

además	código	espiritu	hipótesis
alegrar	cólera	espléndida	histórico
alelí	comamos	estén	idolatrar
allá	cómico	etéreos	ídolo
allí	cómodo	éxito	ignorancia
ámbito	común	exóticas	imágenes
América	corazón	factor	importar
aprovechar	corazones	fallar	impresión
aquí	cosmopolita	familiar	inmóvil
árabe	crepúsculo	fanático	interés
árboles	criticar	fanfarrón	íntimo
articular	crónica	feliz	inútil
artista	débiles	féretro	jóvenes
así	declarar	fértil	juventud
Atlántico	defecto	francés	laberinto
atmósfera	difícil	frenesí	lágrimas
avaro	digno	frijol	lámpara
azúcar	diván	fuerte	latín
cajón	dramática	fúnebre	legítima
cálido	échelo	galón	libertad
caja	eléctrico	hablábamos	lícito
capitán	escritores	herido	líder
catedral	escrúpulo	héroes	limón

línea
lírico
lívido
lógica
longitud
mantón
matrimonio
mayor
médico
médula
metáfora
método
metrópoli
mexicano
montes
muchacho
mundo
música
nave
necio
nítidos
noviazgo
obstáculo
ojalá

opaco
oportunidad
orden
orgullo
orígenes
padrino
página
paisaje
pálida
paloma
pantalón
panteón
paquete
parábola
parchar
parece
parranda
patrón
películas
peligroso
perdón
perfil
pirámide
poética

política
primogénito
príncipe
problemas
próxima
pudo
quizá
rápido
rayado
razón
razonar
reclamado
rédito
reflejan
relámpago
renovar
resumen
revistas
rincón
salón
sátira
sillón
símbolos
surtidor

sutiles
técnica
torreón
trágico
túnel
único
vástagos
verídico
verosímil
vestíbulo
víbora
víctima
visión
bisturí
varón
varonil
vagar
vacilar
barco
vino
veloz
verdadero
bárbaro
barbero

Ejercicio A. Ponga acentos si se necesitan. (Respuestas a la pág. 122)

matrimonio	después	herencia	convulsión
náutico	establecimiento	obligación	lengua
pueblo	pareció	murió	zaguán

Ejercicio A. Ponga acentos si se necesitan indicando si hay adiptongo (Ad.) o no. (Respuestas a la pág. 123)

reí - Ad.	país - Ad.	sombrío - Ad.
caballería - Ad.	adiós	geografía - Ad.
desafíos - Ad.	dieciséis	compañía - Ad.
leo	frío - Ad.	guía - Ad.
comía - Ad.	heróico	poema
egoísmo - Ad.	hacían - Ad.	psicología - Ad.
pedía - Ad.	oigo	auténtico
valiente	saliendo	egoísta - Ad.
fantasía - Ad.	monotonía - Ad.	grúa - Ad.
tenía - Ad.	estaría - Ad.	mesías - Ad.
vertía - Ad.	siente	acentuar

días - Ad.
travieso
sueña
viviría - Ad.
decías - Ad.

atraviesa
bujía - Ad.
hipocresía - Ad.
haría - Ad.
geometría - Ad.

cacería - Ad.
autobús
energía - Ad.
judío - Ad.
miércoles

REPASO: EL ACENTO ORTOGRAFICO

I. Clasifique las siguientes listas de palabras y ponga acentos ortográficos: A = aguda, Ll= llana, E = esdrújula Ad. = adiptongo (Respuestas a la pág. 125)

alas - Ll
abandonar - A
abismo - Ll
abogado - Ll
abordar - A
abrigó- A
(abrigo - Ll)
abril - A
abrochar - A
aceituna - Ll
acentos - Ll
actor - A
actriz - A
acuérdate - E
además - A
adiós - A
admirar - A
ágil - Ll
agosto - Ll
ahijado - Ll
aire - Ll
ajo - Ll
ajuar - A
alacrán - A
álamo - E
alazán - A
alegría - Ad.
alelí - A
alemán - A
algodón - A
allá - A
allí - A
almorzar - A
alto - Ll
apetito - Ll

amanecía - Ad.
amarillo - Ll
ámbito - E
América - E
anécdota - E
ojos - Ll
anunciar - A
año - Ll
apatía - Ad.
apenas - Ll
apio - Ll
apreciar - A
aprieto - Ll
aquí - A
árabe - E
artista - Ll
árbol - Ll
área - E
arena - Ll
argentino - Ll
aristócrata - E
arroz - A
arruga - Ll
artículos - E
artística - E
así - A
asomándose - E
aspiradora - Ll
astillarán - A
(astillaran - Ll)
atención - A
atmósfera - E
auténtica - E
autobús - A
automóvil - Ll

avaro - Ll
avión - A
azul - A
bailarín - A
balón - A
banderón - A
barba - Ll
básica - E
bastón - A
bestias - Ll
bicicleta - Ll
bigote - Ll
biografía - Ad.
bisabuelo - Ll
boa - Ll
boca - Ll
bostezo - Ll
(bostezó - A)
boleto - Ll
bolsa - Ll
bombero - Ll
boquerón - A
bordón - A
botón - A
bóveda - E
brazos - Ll
brujería - Ad.
brújula - E
bufanda - Ll
buró - A
buzón - A
caballo - Ll
cabeza - Ll
cable - Ll
café - A

caja - Ll
cajón - A
calcetín - A
calor - A
camaleón - A
calabaza - Ll
cámara - E
camarón - A
camión - A
camioneta - Ll
camisón - A
campana - Ll
cántico - E
canal - A
canasta - Ll
cancha - Ll
canción - A
canicas - Ll
cantante - Ll
capital - A
capítulo - E
(capituló - A)
carácter - Ll
cárcel - Ll
carmesí - A
carnicería - Ad.
carrizo - Ll
cáscara - E
castigos - Ll
catedral - A
categoría - Ad.
católico - E
causa - Ll
cayó - A
cebolla - Ll

cepillo - Ll
cerdo - Ll
cerezas - Ll
champiñón - A
charlatán - A
chile - Ll
chofer - A
cielo - Ll
cilantro - Ll
circo - Ll
ciudad - A
ciudadanía - Ad.
clásicos - E
comamos - Ll
comenzó - A
comerse - Ll
comió - A
cómoda - E
compadre - Ll
compañía - Ad.
comportarse - Ll
común - A
condenado - Ll
conocimiento - Ll
conquista - Ll
considerar - A
consideraría - Ad
conspirar - A
cónsul - Ll
contéstame - E
continente - Ll
convulsión - A
corazón - A
corazones - Ll
cornete - Ll
corría - Ad.
corrió - A
cortina - Ll
corto - Ll
(cortó - A)
cosmético - E
cosmopolita - Ll
costumbres - Ll
crema - Ll

crepúsculo - E
crianza - Ll
crisis - Ll
crónica - E
cuadro - Ll
cuello - Ll
cuero - Ll
cuerpo - Ll
culpable - Ll
cumplir - A
cuñada - Ll
curva - Ll
débil - Ll
decente - Ll
decíamos - Ad.
defensa - Ll
delfín - A
delgado - Ll
demás - A
demócrata - E
democráticos - E
dependencia - Ll
dependienta - Ll
describe - Ll
después - A
desván - A
desvelado - Ll
detergente - Ll
día - Ad.
diciembre - Ll
dieciséis - A
difícil - Ll
digamos - Ll
dinámico - E
disco - Ll
distinto - Ll
divertido - Ll
divina - Ll
documento - Ll
domésticas - E
domingo - Ll
dominio - Ll
dramática - E
dulcería - Ad.

durazno - Ll
échelo - E
economía - Ad.
económico - E
educarse - Ll
egoísmo - Ad.
eléctrico - E
electrónico - E
energía - Ad.
enero - Ll
entiende - Ll
entiéndelo - E
entremos - Ll
época - E
equivocación - A
escaparate - Ll
escorpión - A
escribamos - Ll
esencial - A
eslabón - A
espíritu - E
espiritual - A
espléndida - E
espontáneo - E
estadio - Ll
estático - E
estéreos - E
estudiemos - Ll
ética - E
exigieron - Ll
existía -Ad.
éxito - E
exóticas - E
expuesto - Ll
expuso - Ll
extraño - Ll
fábrica - E
(fabrica - Ll)
fácil - Ll
faisán - A
familiar - A
familias - Ll
fantasía - Ad.
fantasma - Ll

farmacia - Ll
farol - A
febrero - Ll
feliz - A
feo - Ll
feroz - A
fértil - Ll
festín - A
festines - Ll
filosofía - Ad.
física - E
flauta - Ll
fórmulas- E
(formulas - Ll)
fortaleza - Ll
frágil - Ll
frágiles - E
francés - A
fresa - Ll
fresco - Ll
frío - Ad.
fuerte - Ll
fuerzas - Ll
fúnebre - E
galleta - Ll
galón - A
galones - Ll
gato -Ll
geografía - Ad.
geográfica - E
geólogo - E
golosina - Ll
gordo - Ll
gracia - Ll
grasienta - Ll
grises - Ll
gritería - Ad.
grúa - Ad.
guapo - Ll
guía - Ad.
había - Ad.
habilidad - A
hablábamos - E
háblame - E

hablemos - Ll
hacienda - Ll
hamaca - Ll
harapienta - Ll
harina - Ll
hechicería - Ad.
heladería - Ad.
hélice - E
hereje - Ll
herencia - Ll
herido - Ll
héroes - E
heroísmo - Ad.
herradura - Ll
higuera - Ll
hijo -Ll
hipócrita - E
hipótesis - E
historia - Ll
histórico - E
hombro - Ll
hombros - Ll
huerto - Ll
huésped - Ll
humanidad - A
humano - Ll
ideales - Ll
idéntica - E
idioma - Ll
idiomáticas - E
iglesia - Ll
igualdad - A
ilusión - A
imaginación - A
índice - E
indio - Ll
inédito - E
ingeniería - Ad.
inglés - A
inmóvil - Ll
instintivo - Ll
inteligente - Ll
interés - A
interrumpió - A

inútil - Ll
irlandés - A
ironía - Ad.
italiano - Ll
jabón - A
jalón - A
jamás - A
jamón - A
japonés - A
jardín - A
jardinero - Ll
jerez - A
jitomate - Ll
jirafa - Ll
jorongo - Ll
jóvenes - E
judíos - Ad.
jueces - Ll
jueves - Ll
julio - Ll
junio - Ll
laberinto - Ll
labios - Ll
lacio - Ll
lámina - E
lámpara - E
lapicero - Ll
lápiz - Ll
largo - Ll
latín - A
lavadora - Ll
lechuga - Ll
legumbres - Ll
leída - Ad.
lejanía -Ad
lengua - Ll
lenguajes - Ll
león - A
levantar - A
leyes - Ll
liberar - A
librería - Ad.
ligera - Ll
limón - A

limpia - Ll
línea - E
lírico - E
lirón - A
listón - A
literario - Ll
literatura - Ll
lívido - E
lógico - E
luces - Ll
lunes - Ll
maciza - Ll
maíz - Ad.
maleta - Ll
maletín - A
manos - Ll
mantón - A
máquina - E
margarita - Ll
marisco - Ll
marinero - Ll
mariachi - Ll
martes - Ll
martillos - Ll
marfil - A
marzo - Ll
maternidad - A
matrimonio - Ll
máximo - E
mayo - Ll
mayoría - Ad.
mecánico - E
médico - E
mejor - A
melón - A
mentira - Ll
merendar - A
mesías - Ad.
metáfora - E
metal - A
metiendo - Ll
método - E
metrópoli - E
mexicano - Ll

mentira - Ll
mientras - Ll
miércoles - E
minoría - Ad.
molde - Ll
moneda - Ll
mono - Ll
montón - A
mordiéndose - E
moreno - Ll
muere - Ll
mula - Ll
múltiples - E
murió - A
museos - Ll
música - E
nació - A
nación - A
naciones - Ll
naranja - Ll
nariz - A
natación - A
nativo - Ll
naturalísimo - E
necesitan - Ll
nieto - Ll
ningún - A
nítidas - E
novela - Ll
noviembre
nuera - Ll
obligación - A
obrero - Ll
ofrecía - Ad.
oí - Ad.
oímos - Ad.
ojalá - A
ojos - Ll
orégano - E
oreja - Ll
orgánico - E
organización - A
órgano - E
ortografía - Ad.

ostión - A
padrino - Ll
página - E
país - Ad.
paisaje - Ll
pájaro - E
palabras - Ll
paladares - Ll
pálida - E
panadería - Ad.
pantalla - Ll
pantalón - A
papelería - Ad.
paradójico - E
pareció - A
paredón - A
párpado - E
pastura - Ll
patria - Ll
patriótico - E
patrón - A
pedían - Ad.
pelícano - E
película - E
pelo - Ll
(peló - A)
pelota - Ll
peluquero - Ll
península - E
perdón - A
pereza - Ll
periódico - E
periodismo - Ll
periodístico - E
perro - Ll
personalidad
peruano - Ll
piernas - Ll

piloto - Ll
piña - Ll
pirámide - E
pizarrón - A
planta - Ll
plástico - E
platillo - Ll
plebeyo - Ll
pluma - Ll
podrá - A
poesía - Ad.
poeta - Ll
poética - E
política - E
pondrán - A
ponga - Ll
popular - A
portugués - E
poseen - Ll
postre - Ll
práctica - E
(practica - Ll)
préstamo - E
primogénito - E
prisión - A
prístina - E
problema - Ll
profesión - A
provincia - Ll
próximos - E
pudo - Ll
pueblecito - Ll
puerta - Ll
pulmón - A
pupitre - Ll
química - E
quizá - A
raíces - Ad.
raíz - Ad.

rama - Ll
rápido - E
raqueta - Ll
ratón - A
reflejan - Ll
refresco - Ll
régimen - E
regio - Ll
región - A
reí - Ad.
reíste -Ad.
reloj - A
renovación - A
repetían - Ad.
repollo - Ll
respaldo - Ll
(respaldó - A)
resumen - Ll
retrato - Ll
revista - Ll
rígida - E
rincón - A
riñón - A
romance - Ll
romántica - E
rubí - A
rubio - Ll
sábado - E
sacerdote - Ll
saco - Ll
(sacó - A)
saldría - Ad.
salgamos - Ll
salchicha - Ll
santo - Ll
sandía - Ad.
sangría - Ad.
sarape - Ll
sartén - A

sátira - E
sauce - Ll
secadora - Ll
según - A
selección - A
semana - Ll
semejantes - Ll
sentarse - Ll
sentía - Ad.
sentirán - A
separacion - A
septiembre - Ll
serio - Ll
sicología - Ad.
sigamos - Ll
síguelo - E
sílaba - E
símbolos - E
simpático - E
sitúa - Ad.
sobrino - Ll
sociólogo - E
sofá - A
sólida - E
sombrero - Ll
sombrío - Ad.
sonaría - Ad.
sonríen - Ad.
sopa - Ll
sostenía - Ad.
súbito - E
sucia - Ll
suegro - Ll
surtido - Ll
sutil - A
también - A
tapón - A
tarjeta - Ll
techo - Ll
(techó - A)

Ejercicio. Ponga acento a las palabras interrogativas, exclamativas y a las que lleven acento diacrítico. (Respuestas a la pág. 135)

1. Vé a comprar la soda.
2. Te di el traje.
3. No sé la respuesta.
4. El joven se sienta ahora.
5. No te quisiste tomar el té.
6. Sólo nos falta tu papel.
7. El hombre estaba solo.
8. Quiero que me dé el auto de Antonio.
9. Si me voy mañana, tú vas por mí.
10. El escritorio es de él no de Luis.
11. ¿Por qué hablan de mí?
12. Felipe, vé tú con él.
13. Vé con los estudiantes.
14. Yo no necesito una blusa más. Victoria sí.
15. Le di la chamarra a mi hermano.
16. No sé si Chuy se quebró la pierna.
17. ¿Por qué te quieres ir solo? Llévame a mí.
18. ¡Qué bueno que vinieron tú y él a verme a mí!
19. A mí no me quedan estos zapatos.
20. Sí, Miguel. Si puedo, sí te hablo.
21. Vé con tu mamá para que te dé el dinero.
22. No sé si él te dio el dinero.
23. ¿Dónde compraste tú el té?
24. Sólo quiero que a mí no me moleste.
25. Él te necesita a ti no a mí.
26. Vé a los documentos, y ve si yo sé lo que digo o no.
27. Si no llegas a tiempo, yo me voy solo.
28. No sé si Juan se viene hoy.
29. Sólo te quiero pedir un favor.
30. A mí aún no me ha hablado.
31. Vé a ver qué fue ese ruido.
32. ¿Cómo se te ocurre decir que aún no termina el trabajo?
33. Sé bueno y vé a traerme más té.
34. A mí me consta que él se fue solo.
35 Sí, Misael. Yo sí quiero ir si puedo.
36. ¿Cuándo quieres tú que te traiga el te?
37. ¿Cómo te va con él?
38. ¡Qué bien habla de ti!
39. A ti te gusta más el traje de él que el mío.
40. ¿Por qué te interesa mi diario?
41. Aún no sé si él ve bien o no.
42. Dí si tú quieres que él te dé el té frío o caliente.

REPASO

I. Ponga acentos ortograficos a los siguientes pasajes. (Respuestas a la pág. 137)

Ayer que te **llevé** a la universidad llegaste tarde porque mi **automóvil** se descompuso a mitad del trayecto. Siento mucho que **llegáramos** tarde. ¡**Qué** problemas! **Ojalá** yo tuviera un buen auto. Me **gustaría** comprarme uno como el que va **allá** -- **fíjate** lo bonito que **está**; pero ¿**dónde encontraré** uno tan **económico** como el **mío**? Voy a empezar a buscar. **Quizás** encuentre uno. Mientras tanto, **será** mejor que mañana nos vayamos con Jorge. No quiero que lleguemos tarde otra vez. Bueno, pero mejor cambiemos de tema. A **mí** ya me dio hambre con la **plática**. Te invito un **café** o un **té**. Es **más**, **también** te pago la comida como disculpa por haberte hecho llegar tarde. Oye, ¿y por **qué después** no nos vamos de pinta? Al cabo vamos a estudiar el acento, y hoy no quiero saber nada de **ortografía**. ¿A poco **tú sí**?

****

De los dos trajes me gusta **más** este. Creo que lo **compraré**. Ese otro que **está** en el **rincón** **también** me **gustaría medírmelo**. ¿**Cuál** te gusta **más**? ¿El azul? **Está** bien. Lo **compraré**. **Además** del traje, **necesitaré** una corbata pero las de **aquí** no me agradan. Vamos a la tienda de enfrente. Mira. Parece que tiene mejor **selección**. **Valdría** la pena que **entráramos** pero antes, ¿por **qué** no comemos algo? Vamos al **café francés**. La comida **allí está** **riquísima**.

****

El sacerdote **roció** a los **indígenas** con agua bendita. Todos **hacían** esfuerzos porque les alcanzara el agua sagrada. Lo mismo **ocurrió** cuando les **empezó** a echar la **bendición**. Muchos de los fieles pensaban: Vale más esperarnos hasta que nos alcance la mano del padrecito porque **quién** sabe cuando volveremos **aquí** al pueblo. ¿Por **qué** se tardarán tanto los padrecitos en ir a la aldea? Si fueran por **allá** por lo menos dos veces al año, nos **quitarían** los pecados, y **así alcanzaríamos** la **salvación** en caso de que nos sorprendiera la muerte. ¿No **será** que no van porque se les hará muy lejos? A lo mejor. **Ojalá** que **algún día** les **dé** por ir. **Estaríamos** muy agradecidos.

****

Después de los bautizos y la misa, **empezó** la **celebración**. Todos **comían** y **bebían** con **alegría**. No todos tomaban bebidas **alcohólicas**. **Había** personas que tomaban **té**, **café** o limonada. Cuando ya **oscurecía**, alguna gente **empezó** a retirarse pero la **mayoría** se **quedó** para descansar y regresar a sus casas al **día** siguiente. De los que se quedaron, algunos se pusieron a recordar los sucesos del **día**; otros a recordar otras **épocas**; a otros les dio por cantar. Los niños estaban contentos. **Tenían** la oportunidad de desvelarse y jugar a "Las escondidas", "La roña" o "Los encantados". Los **más** atrevidos se **dirigían** al **río** a continuar su **plática** infantil.

Fue **Tobías**, el hijo del tendero, el que lo **descubrió**. Se **había** alejado **más** lejos que los **demás** niños arrastrado por la curiosidad de la luz de una fogata. Se fue acercando, y **descubrió** que alumbraba a un hombre muerto. El niño se **echó** a correr, y **avisó** a los mayores de su descubrimiento. A estos hasta la borrachera se les **quitó**, y su sorpresa fue grande al ver que **conocían** al difunto. Era Luciano, el hombre que había llegado de la sierra **hacía** unos meses y del que nadie **sabía** nada. **Había** sido un hombre de unos cincuenta años, grande, fuerte y muy formal.

Respetado **muchísimo**, la gente se **preguntó quién podría** haberle dado muerte a una persona de la calidad de Luciano. **Después** se supo que **habían** sido los Zamora, dos hermanos pendencieros que a todos intimidaban. Una vez Luciano les **propinó** una golpiza porque estaban golpeando a un indefenso campesino. Los Zamora nunca se lo perdonaron. Lo estuvieron cazando hasta que lo mataron a **traición** la noche que lo **encontró Tobías**. Como no **había** funeraria, decidimos velarlo en la cantina y descansarlo en la mesa de billar. Todo estaba muy callado.

De repente se **oyó** un alboroto, y entraron los soldados con un coronel al mando ordenando a todos los que **estábamos ahí** presentes que le **dijéramos quién había** matado al difunto. Nadie **quería** decirlo hasta que yo lo hice. Los Zamora andaban muy contentos celebrando la muerte de Luciano. Al ver al coronel, lo saludaron muy amablemente. Cuando les **preguntó** si ellos eran los hermanos Zamora, y estos asintieron, el oficial, sin decir "agua va", **sacó** la pistola y **mató** a los dos **ahí** mismito.

Después supimos que el coronel era hermano de Luciano.

Antes de irse con su tropa, me **preguntó** que por **qué** yo **había** sido el **único** que le **había** dicho **quién había** matado a su hermano. Yo le dije que porque **él** me **había** defendido cuando los Zamora me estaban golpeando. Me dio las gracias, y me dijo que si **algún día** necesitaba su ayuda que **él** me la **daría**. Se fueron.

Desde entonces, todos vivimos muy tranquilos; y a **mí** nadie me molesta pues saben que tengo vara alta con el gobierno.

****

Hubo un tiempo en esta **región** cuando los trabajos estuvieron muy escasos. **Aún más** que ahora. **Había** tan poco que los **jóvenes tenían** que irse de sus aldeas y pueblos para buscarlo en otros lugares. Era muy triste pues se quedaban solos las mujeres y los hijos. Dos amigos, uno soltero y otro casado, tuvieron que irse. **Después** de muchos abrazos y mucho llanto, se despidieron de sus esposas **prometiéndoles** que **regresarían** pronto.

Los dos **jóvenes** encontraron trabajo en un rancho con un hombre con quien nadie **quería** trabajar. Se **decía** que ese hombre era brujo, pero la verdad era otra; el hombre era una persona muy estudiada y con mucha experiencia en la vida. Lo que le llamaban **brujería**, en realidad era **sabiduría**. Los dos **jóvenes** se llevaron bien con **él**, y trabajaron durante varios años. Mandaban dinero a sus familias, y el resto lo dejaban encargado con el hacendado. Un **día**, decidieron que ya era tiempo de regresar a su casa. Fueron con el **patrón**, y le dijeron lo que deseaban hacer. El dueño le dijo que era buena idea. Fue a su **habitación**, y trajo el dinero que les **tenía** ahorrado. Antes de **entregárselo**, se **dirigió** a ambos y les dijo que **podían** recibir su dinero, o les **podría** dar tres consejos. El hombre soltero **contestó** que **él prefería** recibir su dinero. El hacendado entonces se lo dio. El casado **optó** por los tres consejos. Entonces el dueño le dijo, "El primer consejo es que no dejes camino por vereda; el segundo, que no preguntes por lo que no te importa; y el tercero, que no te dejes llevar por las apariencias".

Al **día** siguiente, los dos amigos salieron muy temprano rumbo a su casa. El soltero iba muy contento pues llevaba todo su dinero. El casado iba pensando si **había** hecho mal en haber escogido los tres consejos. **Después** de mucho andar, llegaron a una loma desde donde se **veía** una hacienda. Se alegraron mucho pues de tanto caminar ya **tenían** ampollas en los pies. Vieron una vereda que los **llevaría más** pronto a la hacienda. El amigo soltero **sugirió** que la tomaran. Ya iban a tomarla cuando el casado se **acordó** del primer consejo. Entonces le dijo a su amigo, "Mejor **vámonos** por el camino, que yo **pagué** mucho por el consejo de no dejar camino por vereda". El amigo se **burló** de **él**, y le dijo que lo **esperaría** en la hacienda.

Cuando **llegó** a la hacienda, **salió** un hombre a recibirlo. Dijo ser el dueño de la hacienda la cual **también servía** de fonda. Se **extrañó** que su amigo **todavía** no hubiera llegado. Iba a preguntarle al hacendado cuando vio dos hombres a caballo que **traían** a su amigo en ancas. **Venía** muerto. Los dos hombres dijeron que lo habían encontrado en la vereda envenenado por el piquete de una **víbora**. Nuestro amigo se puso muy triste, pero **agradeció** haber cambiado su dinero por los tres consejos. El primero ya le **había** salvado la vida.

El hacendado lo **invitó** a que pasara a comer. El hombre **agradeció** la **invitación** y **aceptó**. Estaba comiendo y platicando con el dueño cuando **oyó** ruidos debajo de la mesa. **Pensó** que **sería** un perro, y **tomó** una tortilla para **tirársela**. Cuando estaba a punto de hacerlo, **notó** que no era un perro sino una mujer andrajosa y sucia que andaba a gatas como si fuera un animal. En vez de **tirársela**, le hizo un taco y se lo puso en un plato. Cuando iba a **dárselo**, el propietario le dijo, "Amigo, los animales comen en el suelo no en plato. **Aviéntesela** a ese animal".

El buen hombre, atemorizado, hizo lo que le mandaba el propietario. La mujer **engulló** la tortilla. El hombre estuvo a punto de preguntarle al propietario por **qué** andaba en esas condiciones la mujer, pero se **acordó** del consejo de no preguntar por lo que no le importara. Le **preguntó** el propietario que si no quería saber por **qué** andaba **así** la mujer a lo cual **respondió** el hombre que razones **habría** de haber pero que a **él** no le importaban. El propietario se **sorprendió** y le dijo, "Usted es el primer hombre que no es curioso, y por su **discreción** le voy a contar una historia. Esa mujer es mi esposa. Hemos tenido este restaurante desde hace muchos años, y hemos hecho buen dinero. Siempre nos **llevábamos** bien hasta que vino un metiche, un hombre envidioso que me vino a contar algo que no le importaba. Me dijo que mi mujer me engañaba con un amigo **mío**. Como recompensa por el chisme que me trajo, lo **maté**. **Después también maté** al amante de mi mujer. A ella, como castigo le dije que **andaría** a gatas como un animal por debajo de las mesas comiendo las sobras de los clientes. El castigo se lo **levantaría** cuando llegara un hombre que no preguntara por **qué** la **traía** de esa manera; es decir, un hombre que no preguntara por lo que no le importara. Han pasado muchos años. Desde entonces, he matado a muchos por preguntar acerca de lo que no les importa. Sin embargo, hoy gracias a usted la penitencia de mi mujer ha llegado a su **término**. Por su **discreción**, le voy a hacer a usted unos regalos. En mis establos tengo muchos caballos, monturas y rifles; en mi casa tengo mucho dinero. Quiero que escoja un caballo, una montura, y un rifle; los que **más** le gusten. **Después**, entre conmigo a mi casa y llene sus alforjas de dinero". El hombre **así** lo hizo. Se despidieron, y le dijo el hacendado, "Que le vaya bien, amigo, y que Dios lo siga protegiendo de posibles desgracias como lo protegió de **mí**". El hombre se fue **contentísimo** aunque **también** triste por la muerte de su amigo. Iba pensando que con el dinero que llevaba **podría** darle algo a la viuda para que no quedara desamparada.

Después de unos **días llegó** a su pueblo. Cuando **divisó** su casa, **reconoció** a su mujer. Estaba sentada bajo un árbol con un hombre que **tenía** la cabeza en su regazo. Dijo el hombre, "¡Ay de **mí!** Que mi mujer me engaña". De inmediato **sacó** el rifle para matarlos. Cuando estaba a punto de dispararles, se **acordó** del tercer consejo de no dejarse llevar por la apariencias **Guardó** su rifle y cabizbajo se fue acercando a su mujer y al hombre con quien estaba. Su mujer lo **reconoció**, y loca de **alegría** le dijo al hombre que estaba en su regazo, "¡**Levántate**! ¡Mira que por fin ha llegado tu padre!

EXAMEN

(Respuestas a la pág. 143)

1. Defina los siguientes términos.

1. Acento - La fuerza de la voz en la palabra.
2. Acento ortográfico - La tilde encima de la vocal para señalar la fuerza de la voz.
3. Acento prosódico - El acento que se escucha pero que no se señala con la tilde.
4. Palabra llana o grave - Palabra que lleva la fuerza de la voz en la penúltima sílaba.
5. Palabra esdrújula - Palabra que lleva la fuerza de la voz en la antepenúltima sílaba.
6. Palabra aguda - Palabra que lleva la fuerza de la voz en la última sílaba.
7. Vocales fuertes - A, E, O
8. Vocales débiles - I, U
9. Diptongo - La combinación de una vocal débil y una fuerte o dos débiles en la misma sílaba.
10. Adiptongo - Cuando se rompe el diptongo.

II. Conteste las siguientes preguntas.

1. ¿Cuándo llevan acento ortográfico las palabras agudas? Siempre.
2. ¿Cuándo llevan acento ortográfico las palabras llanas o graves? Cuando terminan en consonante excepto "N" o "S".
3. ¿Cuándo llevan acento ortográfico las palabras esdrújulas? Siempre.
4. ¿Cuándo llevan acento ortográfico los adiptongos? Siempre
5. ¿En qué vocal llevan el acento ortográfico los diptongos? En la fuerte (a, e, o).
6. ¿En qué vocal llevan el acento ortográfico los adiptongos? En la débil (i, u).
7. Cuándo llevan acento ortográfico los diptongos? Cuando siguen las reglas de acentuación.

III. Ponga acentos ortográficos a las palabras que lo necesiten.

1. La culpa de todo lo que él haga échamela a mí.
2. Perdí todo mi interés cuando me aseguró que jamás lo conocería. Debía habérmelo imaginado.
3. Se me hacían largos los días.
4. Déjelo aquí para evitarnos líos. Pongámoslo hacia atrás. ¡Tú! ¿Qué necesitas?
5. Él se acordaría después que nadie lo ayudó cuando salió de la cárcel.
6. Llegó al río y allí se durmió.
7. Yo le aseguro que su hijo no reprobará. Déjemelo aquí.
8. ¿Por qué a él también le tocó la bendición si no es católico?
9. Estaba escondiéndose en el río.
10. ¿De quién tenías miedo? Se preguntó él mismo.
11. Oyó a sus tíos que le decían adiós.
12. "Hacía frío", se confesó a sí mismo.
13. Él aún está enfermo.
14. Ellos son los elegidos. Y entre esos estás tú.
15. Se despidió tomándome las mejillas y besándomelas .
16. Se levantó y se quedó en la sacristía.
17. Detrás de él sólo se oyó el golpe.
18. Llegó en automóvil al barrio. Abrió la puerta, salió, se sacudió el polvo, y bajó sus maletas.

19. Me sonrió y dijo, "Creí que no vendrías".
20. Despertándose, él la iluminó con la lámpara.
21. Estudiaré más. Avísame cuando salgas de la cárcel.
22. Dígale a su patrón que allá se conocerán.
23. Las burlas que pasé, yo sé que nunca se me olvidarán.
24. Trajo la televisión el técnico. Dijo que ya estaba arreglada. Ahí dejó la cuenta.
25. El joven agradeció nuestra ayuda, nos pidió perdón, y juró que no cometería más delitos.
26. Era importante que fuéramos a la caballería.
27. No le interesó la discusión.
28. Lo que quería era que saliéramos de allí lo más pronto posible.
29. No sé por qué no te interesó la película.
30. A mí la comida me pareció muy sabrosa.
31. Yo no sabría decir si tú te fuiste sola o con él.
32. Nos invitó un té para que no dijéramos que no nos apreciaba.
33. No sé qué harías tú sin mí.
34. ¿Quiénes estarán arreglando el portón?
35. ¿Por qué no me escribías cuando estabas en Europa?
36. A mí me habría gustado que nos quedáramos de huéspedes en la pensión.
37. No sé qué quería el huésped de mí.
38. Yo no sé por qué quería que fuéramos con él.
39. A ti no te pareció buena idea que nos desveláramos.
40. A mí si se me haría difícil dejar mi país por mucho tiempo.
41. Lo que hacía fácil los exámenes de inglés eran los repasos que teníamos durante la clase.
42. No sólo el ladrón cayó en la cárcel sino también el político que lo ayudó.
43. Sería indigno que no protestáramos la injusticia del régimen.
44. Fue una tontería que habláramos de nuestros planes delante de él.
45. Quizás no deberías decirle a los jóvenes a qué hora llegarás el sabado.

CUARTA SECCION:

LOS TIEMPOS VERBALES, SEGUNDA PARTE

CAPITULO 8

El modo subjuntivo:
Presente
Imperfecto
Pretérito perfecto
Pluscuamperfecto
La conjunción "si" y el modo subjuntivo

La caballerosidad

Hace tiempo cada mujer soñaba con su hombre ideal. Era el hombre para la vida, único e insustituible. Hoy no es más así. A las mujeres de ayer, incapaces de elegir por inexperiencia y atadas por siempre al primer y único hombre que encontraban, se les ha
5 sustituido por las que demuestran saber valorar y hacer comparaciones. Esta nueva mujer conoce y expresa sus necesidades. Anhela, sí, una relación corporal, pero desea que ésta sea solamente la conclusión, el perfeccionamiento de un entendimiento mental. Esta revista le preguntó a una conocida actriz qué pensaba al respecto. ¿Su
10 respuesta? Léala.

"Antes que nada, que se comporte como todo un caballero; que sea sincero y que tenga esos detalles que se han perdido: que me abran la puerta del auto, que me enciendan el cigarrillo, que me pasen el azúcar cuando la necesite y una serie de detallitos como esos. En
15 la actualidad, el hombre que se olvida de los detalles y que piensa que por ser guapo se lo merece todo, es un engreído. No creo que haya forma más bonita de conquistar a una mujer que a través de la caballerosidad. Mi consejo para los hombres es el siguiente: que se acuerden de que a la mujer siempre le ha gustado que la mimen, la
20 atiendan y que se esté pendiente de ella. No se trata de que la sobreprotejan, pero sí de que se den cuenta que nada hay más halagador para una mujer que el saberse atendida por el hombre que está a su lado. Es una manera de recordarle a la mujer que sigue llamando la atención del sexo opuesto".

Ejercicio A. Llene el espacio en blanco con una de las palabras de la lista.

anhela atadas atiendan comportar encender engreído halagador mimen

1. El joven se debe ________________ como un caballero.

2. Es mejor tener las manos ________________ si no se le abre la puerta a una dama.

3. Ese hombre desea que todos le pongan atención. Es un ________________.

4. Necesito ________________ este cigarrillo.

5. A mí me gusta que en los restaurantes me ________________ bien.

6. Es ________________ cuando me dicen que soy buen empleado.

7. Lo que ________________ es llegar a ser senador.

Ejercicio B. Para escribir. Escriba por lo menos un párrafo para cada pregunta .

1. ¿Cree usted, como el autor, que hay una diferencia entre la mujer de antes y la de hoy? Escriba un párrafo expresando su opinión.
2. ¿Comparte usted la opinión de la actriz acerca de la caballerosidad en el hombre?
3. ¿Cree usted que es muy necesaria la caballerosidad? Elabore.
4. Si usted le diera un consejo a un hombre para tener éxito con las mujeres, ¿qué consejo le daría?
5. Si usted pudiera escoger al hombre ideal o a la mujer ideal, ¿qué cualidades pediría?
6. Escoja cualquier otro tema que tenga que ver con la caballerosidad.
7. Describa algún incidente que le haya ocurrido a usted o a alguien más que haya tenido que ver con la cortesía o falta de ella. Escriba sus impresiones.

****

INTRODUCCION: EL MODO SUBJUNTIVO

1. TIEMPOS DEL MODO SUBJUNTIVO.

   El modo subjuntivo tiene 4 tiempos: presente, imperfecto, pretérito perfecto, y pluscuamperfecto.

2. CARACTERISTICAS DEL MODO SUBJUNTIVO

   El modo subjuntivo, a diferencia del modo indicativo,

   A. no puede formar oraciones completas;
   B. siempre aparece en *cláusulas subordinadas*. Es decir que sin el modo indicativo, el modo subjuntivo no es posible;
   C. es un modo subjetivo (a diferencia del indicativo que es objetivo);
   D. se usa para expresar opiniones, deseos, preferencias, emociones, o dudas.

      El *quiere* ir. (indicativo: oración completa)

      que yo *hable*. (subjuntivo: oración incompleta)

      El *quiere* que yo *hable*. (el indicativo ayuda al subjuntivo)

3. USOS DEL MODO SUBJUNTIVO

   El modo subjuntivo se usa en los siguientes casos.

   A. Se usa con la palabra ojalá.

      Ojalá que vengas temprano

   B. Se usa con verbos de emoción, de preferencia, de duda, o de deseo: *querer, decir, insistir, sentir, desear, dudar,* etc.

      Prefiero que vengas temprano.

   C. Se usa con expresiones impersonales: *es importante que, es necesario que, es mejor que, es malo que, es peor que*, etc.

      Es necesario que vengas temprano.

D. Se usa con ciertas conjunciones: *con tal que, antes que, sin que, para que, aunque, cuando*, etc.

Me quedo con tal que vengas.

"Cuando" y "aunque" utilizan el modo subjuntivo cuando la acción no ha ocurrido.

Cuando venga le daré el libro.

Aunque él no quiera, tendrá que quedarse.

E. Se usa con palabras indefinidas: *alguno, alguien, algo, una, unos*, etc.

¿Hay *alguien* que venga contigo esta tarde?

Busco *una* secretaria que venga conmigo.

****

I. PRESENTE DEL MODO SUBJUNTIVO

1. Verbos regulares: 1era., 2nda. y 3era. conjugación (-ar, -er, -ir).
Para formar el presente del modo subjuntivo, se toma la raíz del infinitivo y se le añaden las terminaciones del cuadro siguiente.

	HABLAR	COMER	VIVIR
yo	habl-**e**	com-**a**	viv-**a**
tú	habl-**es**	com-**as**	viv-**as**
usted él ella	habl-**e**	com-**a**	viv-**a**
nosotros nosotras	habl-**emos**	com-**amos**	viv-**amos**
vosotros vosotras	habl-**éis**	com-**áis**	viv-**áis**
ustedes ellos ellas	habl-**en**	com-**an**	viv-**an**

¡Ojo! Note usted que la primera persona plural (nosotros) es una palabra grave no esdrújula.

1.1. Concordancia entre el modo indicativo y el modo subjuntivo.
Cuando se utiliza el presente del modo subjuntivo, el verbo del modo indicativo debe estar en el presente o en el futuro.

El *necesita* que *llegues* temprano.

El *necesitará* que *llegues* temprano.

Ejercicio. Llene los espacios en blanco con el presente del modo subjuntivo.

1. El estudiante necesita que yo le (escribir) _______________ una recomendación.
2. No quiero que tú me (contestar) ________________ sin pensar.
3. Preferirá que yo lo (esperar) ________________ en casa.
4. Insistirá en que nosotros le (dejar) _______________ pagar la cuenta.
5. Dudo que ellos (copiar) _________________ los documentos hoy.
6. Siento que tú te (preocupar) ______________ tanto.
7. Querrá que nos (quedar) ________________ a esperarlo.
8. Espero que nosotros nos (levantar) ________________ temprano.
9. Necesitaré que usted nos (ayudar) _______________ a revisar los documentos.
10. No creo que Manuel (llegar) ___________________ a tiempo.
11. Me parece bien que ella (tomar) ________________ el asiento y no yo.
12. Es importante que nosotros (estudiar) _______________________ para el examen.
13. Siento que tú (estar) ________________ enfermo.
14. Busco a alguien que (hablar) _________________ francés.
15. Ojalá que ellos (regresar) ______________________ temprano de la fiesta.
16. Prefiero que tú te (quedar) _________________ conmigo.
17. El duda que nosotros (ganar) _________________ el torneo.
18. Me quedo con tal que tú no te (enojar) ___________________.
19. No me gusta que tú te (juntar) _______________ con ese muchacho.
20. Me enfada que él no me (creer) ________________ lo que le digo.
21. Me gusta que Isabel me (invitar) ________________ a sus fiestas.

2. **Verbos irregulares: 2nda. y 3era. conjugación.**

Infinitivo	Cambio	Terminaciones
obedecer	**obedezc-**	
conocer	**conozc-**	
parecer	**parezc-**	
tener	**teng-**	
poner	**pong-**	
haber	**hay-**	
decir	**dig-**	
hacer	**hag-**	**-a**
traer	**traig-**	**-as**
salir	**salg-**	**-a**
seguir	**sig-**	**-amos**
oír	**oig-**	**-áis**
pedir	**pid-**	**-án**
medir	**mid-**	
saber	**sep-**	
elegir	**elij-**	
corregir	**corrij-**	
servir	**sirv-**	
reír	**rí-**	
ir	**vay-**	
ser	**se-**	
incluir	**incluy-**	

2.1. Verbos irregulares (cont.).

Los siguientes verbos también son irregulares. La mayoría son verbos radicales (verbos que cambian de **o>ue, e>ie** en todas las personas menos en **nosotros y vosotros)**. Tres verbos cambian a "i" en el **nosotros**: sentir, hervir, preferir.

O>UE

contar	**recordar**	**acostar**	**soñar**	**apostar**	**probar**
cuente	recuerde	acueste	sueñe	apueste	pruebe
cuentes	recuerdes	acuestes	sueñes	apuestes	pruebes
cuente	recuerde	acueste	sueñe	apueste	pruebe
contemos	recordemos	acostemos	soñemos	apostemos	probemos
contéis	recordéis	acostéis	soñéis	apostéis	probéis
cuenten	recuerden	acuesten	sueñen	apuesten	prueben

poder	**mover**	**volver**	**jugar**[2]
pueda	mueva	vuelva	juegue
puedas	muevas	vuelvas	juegues
pueda	mueva	vuelva	juegue
podamos	movamos	volvamos	juguemos
podáis	mováis	volváis	juguéis
puedan	muevan	vuelvan	jueguen

E>IE

perder	**defender**	**querer**	**entender**	**pensar**
pierda	defienda	quiera	entienda	piense
pierdas	defiendas	quieras	entiendas	pienses
pierda	defienda	quiera	entienda	piense
perdamos	defendamos	queramos	entendamos	pensemos
perdáis	defendáis	queráis	entendáis	penséis
pierdan	defiendan	quieran	entiendan	piensen

sentar	**despertar**	**cerrar**
siente	despierte	cierre
sientes	despiertes	cierres
siente	despierte	cierre
sentemos	despertemos	cerremos
sentéis	despertéis	cerréis
sienten	despierten	cierren

[2]"jugar" no cambia de "o" > "ue" sino de "u"> "ue".

sentir[3]	**hervir**	**preferir**	**dormir**[4]	**morir**
sienta	hierva	prefiera	duerma	muera
sientas	hiervas	prefieras	duermas	mueras
sienta	hierva	prefiera	duerma	muera
sintamos	hirvamos	prefiramos	durmamos	muramos
sintáis	hirváis	prefiráis	durmáis	muráis
sientan	hiervan	prefieran	duerman	mueran

****

Ejercicio A. Llene el espacio en blanco con el presente del subjuntivo. Use la primera persona plural en cada respuesta.

1. Ojalá (recordar) ___________________ el nombre de la calle.
2. Ojalá nos (parecer) ___________________ a mi padre en lo bondadoso.
3. Ojalá (tener) ___________________ tiempo libre.
4. Ojalá (poner) ___________________ la estatua donde corrresponde.
5. Ojalá (incluir) ___________________ la lista completa.
6. Ojalá (contar) ___________________ el asunto claramente.
7. Ojalá no nos (acostar) ___________________ en el suelo otra vez.
8. Ojalá (dormir) ___________________ bien aquí.
9. Ojalá (saber) ___________________ la respuesta.
10. Ojalá (poder) ___________________ ver al médico.
11. Dudo que (volver) ___________________ temprano.
12. El siente que (haber) ___________________perdido los documentos.
13. No permite que (salir) ___________________ temprano.
14. Nos recomienda que lo (pensar) ___________________ bien.

---

[3] sentir, hervir, preferir, no vuelven a la raíz de "e" en "nosotros" ni en "vosotros", sino que quedan en "i": sint-, hirv-, prefir-

[4] dormir y morir no vuelven a la raíz de "o" en "nosotros" ni en "vosotros", sino que quedan en "u": durm-, mur-

15. No me gusta que (perder) ____________________ tiempo viendo televisión.

16. Necesita que (encontrar) ____________________ los horarios.

17. Nos aconseja que (despertar) ____________________ temprano.

18. No cree que (necesitar) ____________________ ir con él.

19. El doctor sugiere que (hervir) ____________________ el agua.

20. Dudo que (jugar) ____________________ hoy.

21. Me alegra que (estar) ____________________ juntos.

22. Nos piden que (ser) ____________________ puntuales.

23. No quiere que (volver) ____________________ por este barrio.

24. Querrá que (obedecer) ____________________ la orden.

25. Nos pedirá que nos (sentar) ____________________ enfrente.

26. Dudo que (llegar) ____________________ a tiempo.

27. Querrá que lo (encontrar) ____________________ aquí.

28. Le gustará que nos (defender) ____________________.

29. Nos pedirá que (probar) ____________________ el pastel.

30 Es mejor que (cerrar) ____________________ con llave.

31. Es ridículo que nosotros (viajar) ____________________ hoy.

32. Es imposible que (llegar) ____________________ temprano.

33. No nos quedamos a menos que (trabajar) ____________________

34. Será inútil que (asistir) ____________________ a clase.

35. Nos llamará antes que nos (ir) ____________________ .

36. El quiere que nos (poner) ______________________ a trabajar.

Ejercicio B. Llene el espacio en blanco con *la primera persona plural* del presente del subjuntivo.

Yo no creo que nosotros (1. salir) __________________ a tiempo para ver el juego. La profesora no nos dejará salir aunque nosotros le (2. decir) __________________ que estamos enfermos. Es una lástima que nosotros (3. tener) __________________ que asistir a clase las dos horas y media. Es importante que todos nos (4. poner) __________________ de acuerdo y le (5. recordar) __________________ que hoy es el torneo. Quizás nosotros le (6. poder) __________________ convencer de que no (7. tener) __________ clase hoy. Probablemente nos dirá que cuando no nos (8. dormir) __________________ en clase, entonces nos permitirá salir temprano. Quizás sea mejor que nosotros no le (9. pedir) __________________ permiso. Será mejor que nos (10. ir) __________________ y no le (11. decir) __________________ nada. Cuando nosotros (12. regresar) __________________, nos disculparemos.

<u>Ejercicio C</u>. Traduzca las siguientes oraciones utilizando el presente del subjuntivo.

1. He wants us to sleep now.

   ____.

2. It's possible that we know the lesson.

   ____.

3. He doubts that we can solve the problem.

   ____.

4. It's good that we understand his advice.

   ____.

5. Is not important that we to remember the song.

   ____.

II. IMPERFECTO DEL SUBJUNTIVO

1. VERBOS REGULARES: 1era., 2nda. y 3era. conjugación (-ar, -er, -ir)
Para formar el imperfecto del subjuntivo de los verbos regulares, se toma la raíz del infinitivo y se le añaden las terminaciones del cuadro.

	HABLAR	COMER	VIVIR
yo	habl-**ara**	com-**iera**	viv-**iera**
tú	habl-**aras**	com-**ieras**	viv-**ieras**
usted él ella	habl-**ara**	com-**iera**	viv-**iera**
nosotros	habl-**áramos**	com-**iéramos**	viv-**iéramos**
vosotros	habl-**arais**	com-**ierais**	viv-**ierais**
ustedes ellos ellas	habl-**aran**	com-**ieran**	viv-**ieran**

1.1. Concordancia.
Con el imperfecto del modo subjuntivo, el verbo del modo indicativo debe estar en el pretérito, imperfecto o condicional.
Ejemplo: Juan me *pidió* que yo le ***escribiera.*** / Juan me *pedía* que yo le *escribiera.*
Juan me pediría que yo le *escribiera.*

2. VERBOS IRREGULARES : Cambios a "j"
¡Ojo! Note que en los siguientes verbos las terminaciones llevan la sílaba **"je"** no **"jie"**.

INFINITIVO	CAMBIO	TERM.
traer	**traj-**	**-era**
decir	**dij-**	**-eras**
producir	**produj-**	**-era**
conducir	**conduj-**	**-éramos**
traducir	**traduj-**	**-erais**
introducir	**introduj-**	**-eran**

2.1. "Ser", "ir"

"Ser" e "ir" tienen la misma conjugación: *fuera, fueras, fuera, fuéramos, fuerais, fueran*

2.2. VERBOS IRREGULARES: (cambios: "i" "u")

INFINITIVO	CAMBIO	TERMINACION
sentir	**sint-**	
venir	**vin-**	
pedir	**pid-**	
seguir	**sigu-**	
servir	**sirv-**	
preferir	**prefir-**	
querer	**quis-**	
elegir	**elig-**	**-iera**
medir	**mid-**	**-ieras**
repetir	**repit-**	**-iera**
hacer	**hic-**	**-iéramos**
hervir	**hirv-**	**-ierais**
tener	**tuv-**	**-ieran**
estar	**estuv-**	
poner	**pus-**	
poder	**pud-**	
saber	**sup-**	
dormir	**durm-**	
morir	**mur-**	
andar	**anduv-**	

2.2. **¡Ojo!** Los verbos irregulares: Pretérito del modo indicativo e imperfecto del subjuntivo..
Los verbos que son irregulares en el pretérito (pasado) del modo indicativo también son irregulares en el imperfecto del modo subjuntivo. La irregularidad es la misma en los dos tiempos.
Ejemplo: (Traer - **Traj**) - El **traj**o el libro (pretérito del modo indicativo).
Me dio gusto que Juan **traj**era el libro. (imperfecto del modo subjuntivo)
Esta similitud sirve para determinar si se tiene la irregularidad correcta.

Ejercicio A. Llene el blanco con el imperfecto del modo subjuntivo del verbo entre paréntesis.

1. Me pareció bien que usted (traer) ________________ las maletas.
2. No quiso que nosotros (traducir) ________________ los documentos.
3. El agente no quería que se (introducir) ________________ ilegales al país.
4. Como él no conocía la ciudad, le rogamos que (conducir) ___________ con cuidado.
5. No creía que el Caribe (producir) ________________ tan fuertes tormentas.
6. El jefe quería que nosotros le (decir) ________________ si debería cerrar la fábrica.
7. Ojalá que Miguel (venir) ________________ temprano.
8. Ojalá que ustedes (saber) _______________ la verdad.
9. Ojalá que tú le (decir) ________________________ que no puedes hacer el trabajo.
10. Ojalá que ella (poner)________________ la taza en la mesa.
11. Ojalá que nosotros (traducir) ___________________ el poema.
12. Ojalá que tú (traer) _________________ los documentos.
13. Ojalá que ellos (ser) ________________________ honrados.
14. Ojalá que nosotros (poder) ________________________ ir.
15. Ojalá que ellos (elegir) __________________ al presidente.
16. Ojalá que nosotros (saber) _______________ su nombre.
17. Dudábamos que él (sentir) ________________________ tristeza.

18. María prefirió que yo (conducir) ________________________.

19. Fue imposible que ella sola (hacer) ______________ todos los quehaceres de la casa.

20. No creí que ella (traer) ________________________ el boleto.

21. Fue bueno que nosotros (traer)________________________ el auto.

22. Fue imposible que ellos (recordar) ____________________ la dirección.

23. Lástima que tú no (andar) ____________________ por el parque anoche.

24. Fue necesario que nosotros (traer) ____________________ la mercancía.

25. El quería esperarla hasta que ella (salir) ____________________ del trabajo.

26. No creía que nosotros (ir) _______________ a salir temprano.

Ejercicio B. Llene el blanco con el imperfecto del subjuntivo del verbo entre paréntesis.

Si yo (1. tener) ____________ dinero, me iría de vacaciones a Mazatlán. He oído muy buenos comentarios de ese puerto, y me gustaría conocerlo. (2. Querer) _____________ ir unos cinco días. Si yo no (3. ser) ________________ tan miedoso, me iría en autobús. Sin embargo, si yo (4. viajar) _________ de esa manera, iría muy nervioso. Aparentemente hay muchos asaltantes en el camino. Se cuenta que a veces los ladrones detienen al autobús, y asaltan a los pasajeros. No (5. querer) ______________ que me (6. ocurrir) _________________ un incidente de estos y que los maleantes me (7. quitar) _____________ el poco dinero que (8. llevar) _______________ o que me (9. lastimar) ______________. La semana pasada hablé con mi padre, y le pedí que me (10. prestar) ________________ dinero para irme en el avión. Me dijo que sí pero con la condición de que cuando (11. regresar)__________________ de Mazatlán (12. ir)______________ a visitarlos. Le dije que no se (13. preocupar) ______________; que así lo haría. Estoy muy contento de poder visitar ese puerto. ¡Ya (querer) _____________________ estar allá!

III. PRETERITO PERFECTO DEL MODO SUBJUNTIVO

1. El pretérito perfecto del modo subjuntivo se forma con el verbo **haber** conjugado más el **participio** (verbos que terminan en -ado, -ido, -to, -cho). Para un repaso de los participios irregulares, vea el capítulo 6, pag. 98.

PRETERITO PERFECTO

HABER (conjugado)	PARTICIPIO
haya	
hayas	hablado
haya	comido
hayamos	vivido
hayáis	
hayan	

1.1. Concordancia.
Cuando se usa el pretérito perfecto del modo subjuntivo, se debe usar el presente del modo indicativo. El pretérito perfecto del modo subjuntivo expresa la acción en el pasado mientras que el indicativo lo expresa en el presente.
Ejemplo: No *creo* que Sergio **haya venido**.

Ejercicio A. Llene los espacios en blanco con el pretérito perfecto del subjuntivo.

1. Lástima que nosotros no (poder) ____________________ asistir a la reunión.

2. Ojalá que ellos (asistir) ____________________ a clase.

3. Para ser entrevistado, es necesario que tú (solicitar) _____________ el puesto.

4. Quizá él no (ser) ____________________ quien descompuso el auto.

5. Con tanto problema, es mejor que el jefe no (venir) ____________________

6. Me da gusto que ustedes (arreglar) ____________________ la televisión.

7. Le alegra que nosotros (traer)______________ la tarea.

8. Al profesor le preocupa que ustedes (reprobar) ____________________ el examen.

9. El policía no cree que nosotros lo (ver)____________________.

10. El gerente nos agradece que nosotros le (ayudar) _______________.

11. Espero que tú ya (terminar) ____________________ de cortar el zacate.

<u>Ejercicio B</u>. Traduzca utilizando el pretérito perfecto del subjuntivo.

1. I hope you (tú) came to pick up the car.

   ____.

2. It's a pity that you (tú) did not see the film "The Kiss of the Spider Woman".

   ____.

3. Maybe you (usted) did not understand the instructions.

   ____.

4. I doubt that we passed the main road.

   ____.

5. It's good that you (tú) saw the apartment.

   ____.

6. Are you (tú) sorry that I came to see you?

   ____.

7. Maybe your dad did not leave. Maybe he stayed.

   ____.

8. I don't believe that you (usted) realized what time it was.

   ____.

9. I am glad that you (ustedes) waited for me.

   ____.

IV. PLUSCUAMPERFECTO DEL MODO SUBJUNTIVO

El **pluscuamperfecto** del modo subjuntivo se forma con el verbo **haber** conjugado más el **participio**.

HABER (conjugado)	PARTICIPIO
hubiera	
hubieras	hablado
hubiera	comido
hubiéramos	vivido
hubierais	
hubieran	

Ejercicio. Llene los espacios en blanco con el pluscuamperfecto del subjuntivo.

1. Si (saber) ____________________ que me estabas esperando, me habría venido temprano.
2. Si yo no me (preocupar) ____________________ por mis hermanos, me habría quedado en la fiesta.
3. Si Carmen me (oír) ____________________, se habría asustado.
4. Si no (estar)____________________ trabajando, habría ido contigo de pesca.
5. Te habrías divertido si (ir) __________________ conmigo a las carreras de caballos.
6. Si tú me (despertar) ____________________, habría llegado a tiempo al cine.
7. Yo me habría quedado en la fiesta si (tener) ____________________ coche.
8. Yo no habría venido si yo (trabajar) __________________________.
9. Si yo (comprar) _____________________________ el uniforme, me habría sentido mejor.
10. Si el profesor le (pedir) _______________________ que leyera, José lo habría hecho.
11. Para entender la cultura, habrían necesitado a alguien que (ser) _____________ de ese país.

V. LA CONJUNCION "SI" Y EL MODO SUBJUNTIVO

1. **Tiempo condicional y el imperfecto del subjuntivo.**
   Cuando hay oraciones que incluyen la conjunción "si" y el imperfecto del modo subjuntivo, la estructura es la siguiente:
   Tiempo condicional + si + imperfecto del subjuntivo
   "Yo llevaría a Carla al cine si tuviera dinero".
   Si + imperfecto del subjuntivo + tiempo condicional
   "Si tuviera dinero, yo llevaría a Carla al cine".

****

Ejercicio A. Llene los espacios en blanco con el condicional y el imperfecto del modo subjuntivo.

1. Ustedes (entender)____________________ si (poner) ____________________ atención.
2. Si nosotros (trabajar) ____________________, nos (acostar) ____________________ temprano.
3. Si tú (querer) ________________, nosotros (poder) ___________________ ir de vacaciones.
4. Te (quedar)_____________________ a la conferencia si tú no (tener) ___________________ que dar clases mañana.
5. Nosotros (llevar) ___________________ a Carlos si no nos (hacer) _____________ enojar.
6. Si les (gustar) __________________ el filete, se lo (comer) ___________________.
7. Si yo no (tener) __________________ que estudiar, yo me (quedar)_____________ acostado.
8. Yo no me (meter) ________________ en la piscina si no (saber) _________________ nadar.
9. Si la materia (ser) ________________ interesante, yo (asistir) ______________ a clase.
10. Yo (poder) __________________ ir con mis amigos si (tener) ____________ tiempo.
11. Ellos (medir) ________________ el terreno si no se (ir)__________________ ahora.

Ejercicio B. Traduzca las siguientes oraciones utilizando el condicional y el imperfecto del subjuntivo.

1. I would go to the dance if I had new clothes.

   ____.

2. He would come to my house if he knew where I lived.

____.

3. If he had money, he would go to the movies.

____.

4. I would take the test if I had time.

____.

5. If he had more ambition, he would work.

____.

6. I would play if I had a uniform.

____.

7. If my father would let me, I would help him.

____.

8. I would talk if I could.

____.

9. If she didn't talk so much, she would be a better student.

____.

10. We would fail this course if he didn't help us.

____.

11. He would stay if I were to let him.

____.

12. If you wanted, you could loan me the car.

____.

II. Tiempo condicional perfecto y el pluscuamperfecto del subjuntivo.

Cuando hay oraciones que incluyen la conjunción "si" y el pluscuamperfecto del modo subjuntivo, la estructura es la siguiente:

Condicional perfecto + si + pluscuamperfecto del subjuntivo

"Yo habría llevado a Carla al cine si hubiera tenido dinero".

Si + pluscuamperfecto del subjuntivo + condicional perfecto

"Si hubiera dinero, yo habría llevado a Carla al cine".

Ejercicio C. Llene los espacios en blanco con el condicional perfecto y con el pluscuamperfecto del modo subjuntivo.

1. Yo (entrar) ____________________ al teatro si (tener) ________________ dinero.
2. Ellos nos (escribir) __________________ si se (quedar) ___________________ más tiempo.
3. Si yo (recordar) ___________________ donde estabas, yo (volver) ____________________.
4. La pastilla se (disolver) ________________ si tú la (echar) _________________ en el agua.
5. Si tú (estudiar) ____________________, tú (aprobar) ______________ el examen.
6. Si nos (quedar) ________________, nosotros (resolver) ________________ el problema.
7. Si tú (poner) ______________ atención, nosotros te (dar) __________________ el trabajo.
8. Nosotros (comprar) __________________ los sofás si (tener) ________________ dinero.
9. Yo no (recibir) ______________________ el diploma de secundaria si yo no (asistir) ______________________ a clases nocturnas.
10. Yo (coser) __________________ la camisa si yo (tener) __________________ aguja e hilo.
11. Si no te (tropezar) ______________________ , tú (ganar) ________________ la carrera.
12. Me (llenar) ________________________________ la ropa de aceite si no me (poner) ____________________ el delantal.
13. Si me (presentar) ______________ a tus padres, ellos (estar) ________________ contentos.
14. Me (expulsar) ________________ si mis padres no (hablar) _____________ con el director.
15. Si (poder) ______________ llegar a tiempo, yo (ganar) ______________ la competencia.

Ejercicio D. Traduzca utilizando el condicional perfecto y el pluscuamperfecto del subjuntivo.

1. He would have sung if there had been music.

____.

2. If he had practiced the poem, he would have read it.

____.

3. If you had been here, we would have had a party.

____.

4. I would have cooked if I had had to do it.

____.

5. If we had had one more player, we would have won the game.

____.

Ejercicio E. Llene el espacio en blanco con un tiempo del modo subjuntivo.

1. Si tú (estar) ________________ en Nueva York, yo te visitaría.

2. Yo lavaría la ropa si (tener) ____________ tiempo.

3. Si yo (poder) ______________, me quedaría en casa.

4. Si tú (decir) _____________ dónde vas a estar esta noche, nos podríamos ver.

5. No creo que tú (estudiar) _________________ lo suficiente para aprobar el examen.

6. --¿Ya vieron la película que ganó el primer premio en los "Oscares"?
--No, pero probablemente nosotros la (ver) _____________ este fin de semana.

7. Ya se fueron al aeropuerto mis hijos, pero iban tarde y quizás no (alcanzar) ________________ el vuelo.

8. Acabo de tomar el examen. Estoy seguro que lo aprobé, pero no creo que (obtener) ________________ una "A".

9. Ya va mi esposo a solicitar un trabajo. Espero que le (ir) _________________ bien.

CAPITULO 9

El modo imperativo
Pronombres de objeto directo e indirecto
Pronombres reflexivos

Los vaqueros mexicanos y los nuevos historiadores

Los mitos difícilmente mueren en la frontera y ninguno tan difícil de borrar como el mito del gran vaquero blanco, imagen investida de sabiduría, pintada por la nostalgia y adorada como una reliquia del áspero pasado. Poco a poco, sin embargo, los historiadores están quitándole la blancura al viejo Oeste y descubriendo a los verdaderos maestros de la llanura: los vaqueros mexicanos.

Rich Slatta, profesor de la Universidad Estatal de Carolina del Norte en Raleigh dice, "El comentario común siempre ha sido que los vaqueros y la industria ganadera nacieron con la llegada de los anglosajones. ¡Qué bah! Lo único que hicieron fue robarse el ganado mexicano, apropiarse de la tierra y usurpar la cultura". En contradicción con décadas de cultura popular propagandista, Slatta dice que los vaqueros hispanos, descendientes de los ecuestres conquistadores españoles, fueron quienes enseñaron a los inexpertos anglosajones a dominar el amplio terreno del Oeste. Dice, "Los vaqueros hispanos eran los únicos que conocían las grandes llanuras". Slatta ha documentado la influencia vaqueril desde las llanuras de Alberta (Canadá) hasta Hawaii. Dice que la historia prácticamente ha borrado a los hispanos así como ha borrado a los negros y a los indios americanos los cuales, según el autor, constituían casi una tercera parte de todos los vaqueros de la frontera.

En la recopilación de su nuevo libro, *Vaqueros de las Américas* (*Cowboys of the Americas*), Slatta encontró igual favoritismo en la imagen del vaquero de la Argentina y del Uruguay. "Es un racismo muy simple: nuestra mitología dominante exige héroes blancos", dice. Expresa el investigador que la exclusión es especialmente irónica, ya que tradicionalmente han sido los vaqueros inmigrantes quienes han mantenido a flote el negocio del ganado en los Estados Unidos pues sirven como mano de obra barata. Aún hoy, con el establecimiento de definidas --aunque permeabilizadas-- fronteras, muchísimos vaqueros todavía deambulan hacia los Estados Unidos en busca de trabajo en ranchos de gringos ricos. A pesar de la reducción en la demanda de mano de obra en los ranchos, todavía encuentran trabajo porque --como sus compañeros urbanos-- aceptan trabajos y salarios que los anglosajones se niegan a tomar.

Byran Price, director ejecutivo de la Asamblea Nacional de Vaqueros Famosos (National Cowboy Hall of Fame), que escribe un libro acerca de la ganadería en Texas antes de la Guerra Civil dice, "Los pioneros de ranchar las llanuras fueron hispanos. Yo no creo que esa herencia se les pueda quitar. La prueba máxima está en la masa: la mayoría de la jerga del vaquero es una corrupción de términos del español: "chaps" proviene de *chaparreras*, "corral" de *corral,* "lariat" de *la riata*. Algunos lingüistas inclusive aseguran que "buckaroo" es una magullada versión de *vaquero*. La superioridad del vaquero mexicano era reconocida en el trabajo de ganado y del lazo". Sin embargo, rutinariamente se les pagaba menos y los patrones blancos los veían con sospecha.

Dice Alan Moody, director ejecutivo de la Asociación Laboral de Rancheros Texanos (Texas Ranchers Labor Association) en San Angelo, "Hoy día somos una sociedad urbana, una sociedad mimada. Nadie sabe trabajar ganado montado a caballo y nadie quiere vivir a cincuenta millas de distancia del pueblo". Durante los últimos dieciocho meses ha colocado a sesenta mexicanos previamente indocumentados en ranchos que necesitaban gente porque los vaqueros blancos (anglosajones) no aceptaban el trabajo. Moody dice que el Acto de Inmigración y Reforma de 1986 (1986 Immigration and Reform Act) ha hecho a los rancheros más cuidadosos en el empleo de mexicanos indocumentados; pero añade que el calcular el número de vaqueros, documentados o indocumentados, es imposible dado que los contratos laborales raramente son escritos o anotados. Ralph Walker dice que el número debe ser altísimo. El capataz en el rancho de Benny Kramer en el sureste de Nuevo Mexico dice que el emplear mexicanos es una práctica tan común que él ha aprendido español con sólo haber estado trabajando en el Suroeste.

Si el rancho de Kramer es un análisis acertado de la situación, mucho de lo que se dice acerca de la frontera quizás también lo sea. Cuando se llega la temporada de herrar y Kramer emplea ayuda adicional, las cuadrillas se acomodan étnicamente. Los anglosajones hacen el trabajo de corral y los vaqueros el de los llanos. Moody dice que esta organización es típica porque pone a los anglosajones a cargo del trabajo técnico y de la mayoría de las decisiones. "Mentira," dice Shane O'Neil, el jefe de la cuadrilla de vaqueros, "los gringos se pierden en la llanura. Mis vaqueros conocen la tierra como la palma de su mano".

Al mediodía los hombres de O'Neil se reunen alrededor de una vieja bomba de agua para un almuerzo de frijoles, pollo y tortillas y agua fría. Cerca, los anglos comen emparedados de jamón con queso, doritos y Pepsi Colas.

Aunque Kramer dice que les paga casi lo mismo a los dos grupos, existen sutiles diferencias que indican la jerarquía étnica. Los mexicanos duermen cinco en cada cuarto; los anglosajones dos por cuarto. Los mexicanos se agrupan en la parte trasera de la "troca" ("pick up") mientras que los anglosajones van en la cabina. Durante el trayecto a través de los polvorientos caminos con olor a estiércol se escuchan los intercambios familiares de "mexicanos perezosos" y

"güeros desabridos". Toby Reid, de veintidós años, delgado como un alambre, que dirige la cuadrilla anglosajona dice que le disgusta el prejuicio de sus trabajadores. "El otro día uno de los mexicanos pidió
90 agua y uno de mis trabajadores le dijo que la agarrara él mismo", recuerda enojado. Hablando mientras mira severamente a sus calmados trabajadores, Reid expresa su preferencia por los mexicanos. "Ellos no te responden o tratan de encontrar algún modo de evadir el trabajo. Unicamente lo hacen. Mi padre decía que él prefería tener
95 cinco mexicanos que diez americanos".

En efecto, los vaqueros hacen su trabajo con un alborotado fatalismo. Bromean con su jefe O'Neil sin consideración, pero nunca se quejan de las muchas horas que trabajan. "Estamos aquí para trabajar, para hacer dinero", dice Lalo Reyes abruptamente.
100 Entrenados por años de trabajo en ranchos extranjeros, los vaqueros --oriundos del famoso Rancho de San Miguel en el estado de Coahuila-- se la pasan callados y aislados de los anglosajones. O'Neil, inmigrante yugoslavo quien empezó trabajando con vaqueros en el sur de Texas, expresa su preferencia: "Yo no soy un vaquero gringo",
105 dice, sus ojos cafés brillando indignados. "Los gringos no tienen corazón. Yo soy sencillamente un vaquero. Los vaqueros son los únicos vaqueros de verdad".

No es, por lo tanto, pequeño alivio que la historia finalmente lo esté reconociendo.

Ejercicio A. Llene el espacio en blanco con una de las palabras de la lista.

acertado áspero capataz cuadrillas deambulan ecuestres emparedados estiércol ganadera herrar investida llanuras mimada oriundos permeabilizada pioneros sabiduría

1. Las ________________ de vaqueros __________________por los ranchos buscando trabajo.
2. La figura de los vaqueros estaba ______________ de valentía.
3. El ________________ es un buen fertilizante.
4. De almuerzo, el _______________ vaquero comió ______________________.
5. Los primeros ___________________ atravesaron grandes ______________.
6. Pese a sus esfuerzos, los agentes de inmigración no han ____________ a sellar la

   _______________________ frontera entre México y los Estados Unidos.
7. La industria ___________________ sufre con la desaparición de los vaqueros.

Ejercicio B. Conteste las siguientes preguntas.

1. ¿Cuál es la creencia popular en lo que respecta al papel de los anglosajones en el desarrollo de la industria ganadera y del vaquero?
2. Según el profesor Slatta, ¿qué fue lo que en realidad hizo el anglosajón cuando llegó a los Estados Unidos?
3. ¿Quiénes fueron los primeros hombres a caballo en las Américas?
4. ¿Quiénes son los descendientes de los vaqueros españoles?
5. ¿Cuáles son algunos términos vaqueriles provenientes del español que se utilizan en el idioma inglés?
6. ¿Qué fracción de los vaqueros del Oeste eran hispanos?
7. ¿Por qué los libros mencionan únicamente al vaquero blanco?
8. ¿En qué otros países ha encontrado Slatta racismo hacia el verdadero vaquero?
9. Aunque hoy día el trabajo de vaquero es escaso, ¿por qué es posible que los hispanos todavía encuentren?
10. En el rancho de Kramer, cuándo se llega la temporada de herrar, ¿cómo se acomodan las cuadrillas?
11. ¿Quiénes hacen el trabajo de corral y quiénes el de los llanos? Según Moody, ¿por qué se hace este tipo de organización? ¿Qué comenta O'Neil?
12. ¿Cómo se nota la jerarquía étnica entre los vaqueros anglos y los hispanos?
13. ¿Qué opinión tiene Reid de los vaqueros hispanos y de los anglos?
14. ¿Qué decía el padre de Reid?
15. ¿Cómo se llama un rancho conocido por sus buenos vaqueros en el estado de Coahuila?
16. ¿Qué tipo de vaquero se considera O'Neil?

Ejercicio C. Para escribir.

1. ¿Sabe usted de algunos casos en la historia de los Estados Unidos donde se le haya favorecido al anglosajón por sobre el hispano? Explique en un pequeño párrafo expresando su opinión sobre el caso.
2. ¿Sabe usted de algún incidente de discriminación hacia un hispano? Cuéntelo detalladamente.

I. EL MODO IMPERATIVO

1. Introducción

El modo imperativo sirve para dar mandatos. Se da mandatos con **tú, usted, vosotros, ustedes, nosotros.** No es posible dar mandatos con yo, él, ella, ellos, o ellas. El mandato puede ser (1) singular o plural; (2) formal o informal; (3) afirmativo o negativo,

(1). **Singular.**
Singular, formal (usted): Hable con ella después de clase. (usted)
Singular informal (tú): Habla con ella después de clase (tú)

(2). **Plural.**
Plural formal (ustedes): Hablen con ella después de clase. (ustedes)
Plural informal (vosotros): Hablad con ella después de clase. (vosotros)
Plural (nosotros): Hablemos con ella después de clase. (nosotros)

(3). **Afirmativo:** Habla con ella después de clase.
Negativo: No hables con ella después de clase.

2. Modo subjuntivo y modo imperativo.

El modo imperativo es idéntico al presente del modo subjuntivo en *usted* afirmativo y negativo, *nosotros* afirmativo y negativo, *ustedes* afirmativo y negativo; y en *tú* y *vosotros* negativo. La siguiente tabla ilustra las similitudes.

	Presente del modo subjuntivo			Modo imperativo		
Pronombres	-ar	-er	-ir	-ar	-er	-ir
yo	hable	coma	escriba			
tú	hables	comas	escribas	¡No hables!	¡No comas!	¡No escribas!
usted	hable	coma	escriba	¡Hable!	¡Coma!	¡Escriba!
él, ella	hable	coma	escriba			
nosotros, -as	hablemos	comamos	escribamos	¡Hablemos!	¡Comamos!	¡Escribamos!
vosotros, -as	habléis	comáis	escribáis	¡No habléis!	¡No comáis!	¡No escribáis!
ustedes	hablen	coman	escriban	¡Hablen!	¡Coman!	¡Escriban!
ellos, -as	hablen	coman	escriban			

En el *tú* y el *vosotros* afirmativo la formación es la siguiente: el *tú* afirmativo es igual a la tercera persona singular del tiempo presente del modo indicativo; para el *vosotros* afirmativo se le quita la "r" al infinitivo y se le agrega una "d".

Tú afirmativo:	¡Habla!	¡Come!	¡Escribe!
Vosotros afirmativo:	¡Hablad!	¡Comed!	¡Escribid!

3. Alternativa para la formación del modo imperativo.
Si no desea usar el modo subjuntivo para formar el modo imperativo, se pueden aplicar las siguientes reglas.

3.1. Mandato formal, singular y plural (usted y ustedes)
Para formar el mandato formal singular (usted)

(1) se toma la primera persona singular (yo) del tiempo presente.
Yo **hablo**. Yo **como**. Yo **escribo**.
(2) Se le quita la -o de la terminación: Yo **habl-** Yo **com-** Yo **escrib-**
(3) Se le cambia a -e si es un infinitivo de la primera conjugación (-ar) o a -a si es de la segunda (-er) o tercera (-ir) conjugación.
¡Hable! **¡Coma!** **¡Escriba!**

Para formar el **plural** se le agrega una **n**:
¡Hablen! **¡coman!** **¡escriban!**
Para formar el negativo (singular o plural) se agrega la palabra **no**:
¡No hablen! **¡No coman!** **¡No escriban!**

3.2. Verbos irregulares: Los siguientes mandatos son irregulares en usted:
dar - dé estar - esté ir - vaya saber - sepa ser - sea

4. Mandato informal, afirmativo, singular (tú)
El mandato informal singular afirmativo (tú) es idéntico a la tercera persona singular del tiempo presente del modo indicativo.

Infinitivo	Tiempo Presente	Modo Imperativo (Tú)
hablar	(él) habla	¡Habla!
comer	(él) come	¡Come!
escribir	(él) escribe	¡Escribe!

4.1 Verbos irregulares.

decir - dí	hacer - haz	ir - vé	poner - pon
salir - sal	ser - sé	tener - ten	venir - ven

5. Mandato informal, negativo, singular (tú)
Para formar el mandato informal singular negativo (tú), se toma el mandato formal singular (usted), y se le agrega una **s**. Después se le pone la palabra "no"

Mandato formal (Usted)	Mandato Informal Negativo (Tú)
¡Hable!	¡**No** hables!
¡Coma!	¡**No** comas!
¡Escriba!	¡**No** escribas!

6. El mandato "nosotros" (let's)
Para formar el mandato "nosotros", se toma el mandato formal singular (usted) y se le agrega **-mos**.

Mandato formal (Usted)	Mandato "Nosotros"
hable	hable-mos
coma	coma-mos
escriba	escriba-mos
diga	diga-mos

6.1. Verbos irregulares: "nosotros".
Algunos mandatos irregulares en "nosotros" son los siguientes.

dormir - durmamos   sentir -sintamos   morir - muramos   hervir - hirvamos
preferir - prefiramos   mentir - mintamos

Ejercicio A. Cambie las oraciones a un mandato, de acuerdo con la oración.
Ejemplo: Me alegra que bailemos en esta fiesta. > Bailemos en esta fiesta.

1. Necesito que usted venga a las cinco. ______________________________.
2. Es importante que ustedes estudien para el examen. ______________________________.
3. No es necesario que nosotros comamos temprano hoy.

   ______________________________.
4. Ojalá que nosotros trabajemos hoy. ______________________________.
5. Necesito que busquen la camisa. ______________________________.
6. Quiero que compremos esos pantalones. ______________________________.
7. El quiere que usted pague con mi dinero. ______________________________.
8. Necesito que usted me enseñe a escribir. ______________________________.
9. Prefiero que practiquemos en casa. ______________________________.

Ejercicio B. Cambie las siguientes oraciones al mandato formal plural (ustedes).

1. Ustedes salen a las cuatro. ______________________________.
2. Ustedes corren conmigo. ______________________________.
3. Ustedes les escriben a sus padres. ______________________________.

4. Ustedes no trabajan mucho. ____.

5. Ustedes piensan lo que van a hacer. ____.

6. Ustedes estudian la lección. ____.

7. Ustedes leen el libro. ____.

8. Ustedes ven la película. ____.

9. Ustedes duermen al bebé. ____.

10. Ustedes peinan al niño. ____.

Ejercicio C. Cambie las siguientes oraciones al mandato informal singular (tú).

1. Manuel limpia la alfombra. ____.

2. Pedro sacude los muebles. ____.

3. María viene temprano. ____.

4. Mario sale a las ocho. ____.

5. Salvador prepara la cena. ____.

6. Pedro no pone los libros en la mesa. _____________________________________.

7. Juan no llega tarde. ____.

8. Tú escribes una carta. ____.

9. Mario no sale temprano. ____.

10. Angela no va a las tiendas hoy. ____.

Ejercicio D. Cambie las siguientes oraciones al mandato de la primera persona plural (nosotros).

Modelo: Vamos a comer en casa. > Comamos en casa.

1. Vamos a sacudir los muebles. ____.

2. Vamos a exigir un aumento. ____.

3. Vamos a hablar con el jefe. ____.

4. Vamos a escribir una carta. ____.

5. No vamos a trabajar mucho hoy. ______________________________.

6. Vamos a pensar en la proposición. ______________________________.

7. Vamos a ver los resultados del examen. ______________________________.

8. Vamos a estudiar un poco. ______________________________.

9. Vamos a poner los trabajos encima de la mesa. ______________________________.

10. Vamos a traer el resto de los muebles. ______________________________.

Ejercicio E. Con los siguientes infinitivos haga los mandatos que se le indican.

Inf.	Ud.	Ustedes	Tú (neg.)	Tú (afirm.)	Nosotros	Vosotros
abrir						
decir						
hacer						
poner						
salir						
traer						
venir						
volver						
dar						
ir						
ser						
dormir						
pedir						

II. OBJETO DIRECTO E INDIRECTO.

1. OBJETOS DIRECTOS.

Los objetos directos pueden ser sustantivos o pronombres. Cuando son sustantivos, siempre aparecen después del verbo (Yo traigo el libro); pero cuando son pronombres, aparecen antes (Yo lo traigo) a menos que sea un mandato afirmativo (Tráiganlo). Los objetos directos reciben la acción del verbo directamente. Para saber si la acción recae sobre ellos, el verbo debe responder a la pregunta "¿Qué?".

Ejemplo: La compañía derrumbó un edificio. (¿derrumbó qué? un edificio.)

1.2. OBJETOS INDIRECTOS.

Los objetos indirectos reciben la acción del verbo indirectamente. Para saber si la acción es indirecta, el verbo debe responder por lo menos a una de las siguientes preguntas: "¿Quién?, ¿A quién? o ¿Para quién?".

Ejemplo: Yo les llevo el dinero a mis padres. (¿llevo a quién? a mis padres.)

2. LOS PRONOMBRES DIRECTOS E INDIRECTOS

Los pronombres directos e indirectos, como su nombre lo indica, sustituyen los objetos directos e indirectos. Los siguientes son los pronombres directos e indirectos:

PRONOMBRES	
DIRECTOS	INDIRECTOS
me	**me**
te	**te**
lo, la	**le**
los, las	**les**
nos	**nos**

Los pronombres concuerdan en género (masculino o femenino) y número (singular o plural) con el objeto que sustituyen.

Rafael plancha *la camisa.* // Rafael la plancha. (*la* sustituye *la camisa*)
Rafael plancha *el pantalón*. // Rafael *lo* plancha. (lo sustituye *el pantalón*)

3. DOS OBJETOS

Es común encontrar en una misma oración dos objetos, uno directo y otro indirecto:

Pedro le da el dinero a Juan.
(*dinero* es el objeto directo; *Juan* es el complemento indirecto. *Le* es el pronombre indirecto que se refiere a *Juan*.)

4. "SE" COMO PRONOMBRE INDIRECTO.

Cuando aparecen en una misma oración un **objeto directo** y un **indirecto** y se sustituyen con pronombres, si los dos pronombres empiezan con la letra **"l"**, el pronombre indirecto (**le** o **les**) se sustituye con **se**.

Ejemplo: Juan **le** da el diploma. > Juan **le** lo da. > Juan **se** lo da.
Juan **les** da el diploma. > Juan **les** lo da. > Juan **se** lo da.

Ejercicio A. En las siguientes oraciones sustituya el objeto directo con el pronombre directo. Si aparece un objeto indirecto, inclúyalo.

Ejemplo: Pedro me recita la poesía. Pedro me la recita.

1. Tus hermanos te buscan el periódico.

   ____.

2. Mi novia no me quiso aceptar el regalo.

   ____.

3. Mis padres me compraron la computadora.

   ____.

4. El director me entregó las calificaciones.

   ____.

5. Mi jefe te contó el problema.

   ____.

6. El profesor te mandó la nota final.

   ____.

7. Mañana te doy la tarea.

   ____.

8. Los muchachos me trajeron los recibos.

   ____.

9. El ayudante nos corrigió el examen.

____.

10. Pedro nos da el dinero.

____.

Ejercicio B. Conteste afirmativamente sustituyendo objetos directos e indirectos con pronombres.

11. ¿Te pidió Marcos el poema?

____.

12. ¿ Les enseñó a ustedes el mapa Roberto?

____.

13. ¿Les quitó usted el dinero a los ladrones?

____.

14. Les vendió a ustedes los libros el bibliotecario?

____.

15. ¿Le arregló Jorge el auto a Miriam?

____.

16. ¿Juan le da las llaves a Inés diariamente?

____.

17. ¿Esteban le da a Juan le da los apuntes de la clase?

____.

18. ¿Les diste el documento a los abogados?

____.

19. ¿Les vendió Mauricio el sombrero a los clientes?

____.

III. LOS OBJETOS DIRECTOS, INDIRECTOS Y EL MODO IMPERATIVO

Con frecuencia, el modo imperativo se combina con los pronombres directos o indirectos. Cuando este es el caso, si el mandato es negativo los pronombres irán antes del verbo y separados (¿Le doy los libros? -- "No, no **se los des**.), pero irán después del verbo y "pegados" si el mandato es afirmativo (Sí, dá**selos**.)

¡Ojo! Como regla general, los mandatos son palabras llanas, y no llevan acento ortográfico. Sin embargo, al agregársele pronombres a los mandatos afirmativos, se convierten en palabras esdrújulas o sobreesdrújulas y deben llevar acento.

Ejemplo: ¡Lave! (Llana) ¡Lávese! (Esdrújula) ¡Lávesela! (Sobreesdrújula)

Ejercicio B. Sustituya los objetos directos con un pronombre directo. Si aparece un objeto indirecto, inclúyalo.

1. Dame el libro ______________________________.
2. Pídame los documentos. ______________________________.
3. Llévele el dinero. ______________________________.
4. Búsqueme la tarea. ______________________________.
5. Tómele la mano. ______________________________.

Ejercicio C. Conteste afirmativamente en el modo imperativo sustituyendo objetos directos con pronombres.

6. ¿Le hago la tarea a él? ______________________________.
7. ¿Le doy la carne a Carlos? ______________________________.
8. ¿Le traigo los documentos a usted? ______________________________.
9. ¿Le escribo la carta a Verónica? ______________________________.
10. ¿Abro la puerta? ______________________________.
11. ¿Le damos los libros a José? ______________________________.
12. ¿Traducimos la lección? ______________________________.
13. ¿Le damos el cuaderno a los muchachos? ______________________________.
14. ¿Traemos el perrito? ______________________________.

IV. LOS PRONOMBRES REFLEXIVOS

Los pronombres reflexivos son parecidos a los pronombres directos e indirectos pero mientras que estos ***sustituyen*** al nombre, los pronombres reflexivos ***reflejan*** el sujeto del verbo (el cual a veces es un pronombre personal); es decir lo **repiten**.

Objeto: Yo acuesto al niño.> Yo lo acuesto.(*lo* sustituye *al niño*)

Pronombre Reflexivo: Yo me acuesto. (*me* repite *Yo*).

PRONOMBRES	
Personales	**Reflexivos**
yo	**me**
tú	**te**
usted él ella	**se**
nosotros nosotras	**nos**
vosotros vosotras	**os**
ustedes ellos ellas	**se**

Ejercicio. Llene los espacios en blanco con un pronombre reflexivo

1. Yo ________ lavo la cara.
2. Tú _________ levantas temprano.
3. El ___________ acuesta tarde.
4. Nosotros _________ peinamos en casa de Paco.
5. Vosotros ___________ levantáis temprano.
6. Es importante que ustedes ________ sequen el pelo antes de salir.
7. Nosotros _________________ bañamos diriamente.

V. LOS PRONOMBRES REFLEXIVOS Y EL MODO IMPERATIVO

1. El plural del modo imperativo: La **N**
   Cuando el singular formal (usted) del modo imperativo (ejemplo: "duerma") cambia al plural formal (ustedes) del modo imperativo se le agrega una **n** ("duerman").

1.1 El formal plural (ustedes) del modo imperativo y el reflexivo "se".
   Cuando el plural formal (ustedes) se combina con el pronombre reflexivo "se", es importante recordar que **la "n" del plural acompaña al verbo y no al pronombre.** (Duérmanse)

Ejercicio A. En las siguientes oraciones cambie el mandato del singular formal (usted) al plural formal (ustedes).

1. Lávese. ______________________________.
2. Cálmese. ______________________________.
3. Véngase. ______________________________.
4. Báñese. ______________________________.
5. Acuéstese. ______________________________.
6. Sacúdase. ______________________________.
7. Siéntese. ______________________________.
8. Quítese. ______________________________.
9. Quédese. ______________________________.
10. Váyase. ______________________________.
11. Séquese ______________________________.
12. Sálgase. ______________________________.
13. Cepíllese. ______________________________.
14. Vístase. ______________________________.
15. Levántese. ______________________________.

VI. EL REFLEXIVO "NOS" Y EL IMPERATIVO

En el habla diaria, es común utilizar la construcción "ir a" para formar el mandato nosotros: **Vamos a lavar**. Cuando se le agrega el pronombre reflexivo **nos**, el resultado es "Vamos a lavar**nos**".

Cuando se usa el modo el imperativo (**lavemos**) y se le agrega el pronombre **nos**, el resultado es ***Lavémonos***. La **s** al final del verbo (lavemos) se omite,

******

Ejercicio. Cambie las siguientes oraciones utilizando la forma imperativa y el pronombre reflexivo "nos".
Modelo: Vamos a levantarnos > Levantémonos.

1. Vamos a dormirnos. ____.
2. Vamos a acostarnos. ____.
3. Vamos a sacudirnos. ____.
4. Vamos a lavarnos. ____.
5. Vamos a secarnos . ____.
6. Vamos a quedarnos . ____.
7. Vamos a peinarnos. ____.
8. Vamos a sentarnos. ____.
9. Vamos a cepillarnos . ____.
10. Vamos a bañarnos. ____.
11. Vamos a calmarnos. ____.
12. Vamos a levantarnos. ____.
13. Vamos a vestirnos. ____.
14. Vamos a ponernos los uniformes. ______________________________.
15. Vamos a quitarnos los uniformes. ______________________________.

QUINTA SECCION:

LA ORTOGRAFIA

CAPITULO 10

B, V
K, Q, C
C, S, Z
H
G, J
Ll, Y, I
R, Rr
U, Ü

Rubén Salazar y la leyenda de mártir[5]

El desfile en el este de Los Angeles ese último sábado de agosto hace veinte años era una expresión chicana de protesta contra la guerra en VietNam. Esa "marcha de moratorio" del veintinueve de agosto de 1970, tuvo lugar a más de treinta millas de distancia de nuestra casa. En aquel entonces, mi esposo Rubén era director de noticias de KMEX, la estación en español de television en Los Angeles. El había asignado a un grupo para que cubriera el evento. El no tenía por qué ir. El no tenía ganas de ir. Anduvo haciendo tiempo toda la mañana. Probablemente yo lo habría podido convencer que se quedara en casa.

Hacía unos cuantos días, que un viejo amigo del Associated Press había venido a casa a cenar. Rubén hablaba de su trabajo y de su involucramiento con la comunidad mexicoamericana. "Todo marcha bien.", recuerdo que decía Rubén. "Algo malo tiene que ocurrir. Algo tiene que suceder. Sabes," añadió, "ellos necesitan un mártir".

Sean cuales sean las razones por las que los reporteros hacen las cosas, Rubén fue a la manifestación ese sábado. Es historia que ya no volvió a casa. Fue muerto por un proyectil de gas lacrimógeno disparado por un policía. Yo perdí a mi esposo y mis tres niños perdieron a su padre.

Ahora, años más tarde, mis recuerdos se confunden debido a los murales y monumentos construidos a Rubén. Estos murales concebidos en la mente de la gente son murales de alguien a quien ellos le llaman Rubén Salazar, pero que es un Rubén a quien yo no reconozco por entero. Yo no digo que seamos las únicas personas que conocimos a Rubén. No. Pero nosotros lo conocíamos bien. Era lo que un padre y un esposo deben ser. Amaba a nuestros hijos y a su esposa rubia anglosajona --a mí. El Rubén Salazar que se convirtió en una causa para un millón de activistas chicanos y en un símbolo para millones más en el país, chicanos y no chicanos, fue una persona que quizás apenas se estaba descubriendo.

El Rubén Salazar a quien yo conocí había dejado el barrio atrás, en El Paso, muchos, muchos años antes. En una entrevista para Newsweek, publicada apenas dos meses antes de su muerte él se había descrito a sí mismo como un "clase media establecido".

Rubén tenía 42 años cuando murió. Había trabajado como

---

[5]El periodista Rubén Salazar murió en el este de Los Angeles, California mientras cubría una manifestación chicana. Sally Salazar, esposa de Rubén, escribió este artículo en el vigésimo aniversario de la muerte de su esposo. Hoy, ella reside en California.

reportero en El Paso, San Francisco y Los Angeles. En diez años con Los Angeles Times, había cubierto todo tipo de historia imaginada. Un día después del Dia de las Madres en 1965, lo mandaron a Santo Domingo para escribir acerca de la revolución en la República Dominicana. Después fue mandado a VietNam. Eso le dio gusto porque sintió que el periódico finalmente lo veía como un reportero completo no únicamente como un reportero mexicano. "Por lo menos no me dieron la asignatura porque hablo español", dijo. Después pasamos tres años en la ciudad de México donde estuvo como jefe del Buró de Los Angeles Times antes de que regresáramos a California en 1969.

Siempre que se encontraba en Los Angeles, el periódico lo asignaba para que se ocupara de los sucesos de la comunidad mexicoamericana. En abril de 1970 se trasladó a KMEX, pero el Times le pidió que contribuyera con una columna semanal relacionada con asuntos mexicoamericanos. Es posible que lo ocurrido durante esos meses haya dado lugar a una reacción en cadena que cambiaron al hombre y crearon el mito. Lo que ocurrió seguramente fue como resultado de su sentido de decencia y honestidad, cualidades que siempre sobresalieron en Rubén.

Nacido en Ciudad Juárez, Chihuahua, frontera con El Paso, Texas, Rubén disfrutaba su papel de intérprete de la cultura y la gente. Lo hacía mientras no hubiera inferencias de que no podía competir con sus compañeros anglosajones. El orgullo en su herencia mexicana fue absoluto, pero sus gustos y ambiciones se fundieron en otro mundo, en un mundo en el cual decidió competir. No se disculpó con ninguna de las dos comunidades, anglosajona o mexicoamericana, por ser un hombre a horcajadas. Le gustaba tener acceso a ambos mundos. A veces yo tenía la impresión que él se sentía un poco culpable por llevar una existencia tan "agringada", pero aún así disfrutaba en forma peculiar cuando yo lo acompañaba a eventos organizados por los militantes de aquella época. "Vas a sorprender a los mexicanos esta noche", me decía bromeando. Recuerdo que un compañero reportero, Bob Navarro, en una entrevista a Rubén --explorando el enigma-- en la estación de CBS-TV "Se acabó la siesta" ("The Siesta is Over") le preguntó: "¿Tú te llamas a ti mismo chicano?" Rubén le respondió: "Eso es irrelevante".

Quizá un Rubén diferente haya estado moldeándose en esas últimas semanas. Más que cualquier otra cosa, el tratamiento de la policía y las actitudes hacia los mexicanos y mexicoamericanos fueron lo que causaron el cambio. En realidad, nadie en la ciudad reportó los abusos de la policía, pero Rubén sí lo hizo.

Cuando la policía de Los Angeles, mientras buscaba un fugitivo que había matado a su novia, erróneamente mató a unos asustados mexicanos ilegales, Rubén asignó personal de KMEX para

85 que cubrieran la historia en detalle. El departamento de policía reaccionó tan fuertemente a la acción de Rubén que fueron a hablar a KMEX con Danny Villanueva, el jefe de Rubén. Le dijeron que la comunidad mexicana de Los Angeles no estaba lo suficientemente sofisticada como para oír o leer tales reportajes. Pusieron en
90 entredicho la objetividad de Rubén --en una palabra, su integridad profesional. Este fue el error que cometieron. Cuando Rubén sabía que tenía razón, nadie podía intimidarlo o asustarlo. El había cubierto una revolución en Latinoamérica y una guerra en VietNam. Lo que la comunidad vio fue el valor de Rubén. Lo vieron como alguien que podría enfrentarse a la estructura poderosa del anglosajón y desafiarla.
100 Nadie había podido hacer eso. En casa, lo que vimos fue su orgullo y su honestidad más que su valor. No podía retractarse porque sabía que tenía razón en lo que había hecho y cómo lo había hecho. También sabía que si no lo hacía él, nadie más lo haría. Lo que vio y reportó le trajo más responsabilidades a Rubén. El las aceptó.

105 Desde su muerte, se me ha acercado gente extraña para contarme muchas cosas acerca de mi marido. Me dicen que acostumbraban a verlo y escuchar las noticias que él daba por televisión diariamente. En realidad, como director del noticiario de KMEX, él nunca apareció delante de una cámara. Me hablan de su
110 elocuencia en el idioma español. El nunca fue comentarista. Su lengua de comunicación fue el inglés. Mucha gente me ha dicho, "Yo no conocía a su esposo muy bien, pero una vez me tomé una bebida con él..." Si él se hubiera tomado tantas bebidas como dice la gente que se tomaron con él, nunca habría tenido tiempo de escribir una
115 palabra, mucho menos encontrar el camino a casa por la noche. Con nuestros niños creciendo, le gustaba estar en casa para la hora de la cena, y le molestaba que las noticias lo mantuvieran en el estudio hasta las 8:30 todas las noches. Hasta empezaba a hablar de cambiar de trabajo.

120 No hace mucho, llevé a una de nuestras hijas a una cena en la cual Rubén fue elogiado como un devoto luchador de "La Causa", como un grandioso y formidable líder del barrio. Cuando los oradores terminaron de hablar, mi hija se volvió hacia mí y me dijo, "Madre, mi padre no es ése de quien ellos están hablando". Yo debería sentirme
125 halagada que los murales del barrio ubiquen a Rubén al lado de Benito Juárez y de César Chávez y que muchos desconocidos le atribuyan tantas acciones. En muchas formas lo estoy, pero el Rubén que ellos describen no es el Rubén que yo conocí. No es el benévolo, el humorista con quien mis hijos y yo contábamos y amábamos. Si
130 hubiera tenido más tiempo en la tierra, Rubén quizá se habría convertido en esa otra persona. El tenía la habilidad de satisfacer y aun sobrepasar lo que otros esperaban de él.

Ejercicio A. Llene los espacios en blanco con una de las palabras de la lista.

ambos benévolo desfile elocuencia entredicho halagada involucramiento lacrimógeno manifestación moldeándose oradores sucesos ubiquen

1. El________________ del Día de la Independencia ocurrió un pequeño disturbio

   que se convirtió en una gran ______________________.

2. Los ______________ alabaron a la patria con mucha ____________________.

3. La violenta _________________ obligó a la policía a usar gas _____________.

4. Sin percatarse, el líder estaba ___________________ al gusto de quienes dirigía.

5. Debido a su _____________ con la guerra, ___________ soldados fueron condecorados

6. La esposa del joven mártir no desea que lo __________ al lado de César Chávez.

7. Los ____________ que Rubén reportó pusieron en _____________ su objetividad.

8. La joven se sintió ______________ por las rosas que recibió.

Ejercicio C. Conteste las siguientes preguntas.

1. ¿Dónde nació Rubén Salazar?
2. ¿Dónde murió?
3. ¿Cómo murió?
4. Según Sally, ¿qué periodo causó un cambio en la personalidad de su esposo?
5. ¿Por qué cree Sally que Rubén se sentía culpable de llevar una existencia tan "agringada"?
6. ¿Por qué cree usted que Sally ve a Rubén de una manera y el público de otra? ¿Quién cree usted que tenga razón? ¿Por qué cree usted eso?
7. ¿Cree usted que la muerte de Rubén fue un mero accidente o fue a propósito? Elabore.
8. ¿Por que cree usted que Rubén decía que los chicanos necesitaban un mártir?
9. ¿Por qué cree que Rubén no quiso contestar si él se consideraba chicano o no? Elabore.
9. ¿Qué demuestra la actitud de la policía hacia la comunidad mexicana cuando dice que esta no estaba lo suficientemente sofisticada para leer lo que escribió Rubén acerca de la muerte de los mexicanos ilegales? Elabore.

Ejercicio D. Para escribir.

1. Escriba un informe de César Chávez. Incluya una breve biografía y sus contribuciones a la comunidad hispana.
2. Escriba un informe de Benito Juárez. Incluya una breve biografía y sus contribuciones a la sociedad. ¿ Por qué es considerado importante entre los mexicoamericanos?
3. ¿Por qué se le asocia a Benito Juárez con César Chávez? Elabore.
4. ¿Por qué asocia el movimiento chicano a Benito Juárez, César Chávez y Rubén Salazar?

PROBLEMA DE LA ORTOGRAFIA EN ESPAÑOL

En español, el problema de la ortografía radica en que un sonido puede ser representado por dos o tres letras sin alterar la pronunciación. Por ejemplo, en la palabra "sencillez" las tres letras "s", "c" y "z" tienen el sonido /s/ confundiéndose fácilmente.

Las reglas ortográficas que se incluyen en este capítulo no intentan ser exahustivas. Se dan solamente unas cuantas; las más comunes y fáciles de aprehender. Aunque esté de más decirlo, es harto sabido que para tener una buena ortografía no hay mejor manera de desarrollarla que a través de continuas lecturas.

I. Sonido /b/: "B" Y "V"

1. REGLAS DE LA **B**

1.1. Cuando una palabra se escribe con **b**, todos los derivados de esta palabra retienen la **b**.
Ejemplo: gobierno, gobernar, gobernante
prueba, aprobar, aprobado, aprobación

1.2. Se escriben con **b** los infinitivos[1] que terminan en los sonidos **-ber** y en **-bir** y todas sus conjugaciones.
Ejemplo: (-ber) saber, deber, beber, haber
(-bir) recibir, escribir, prohibir
Algunas excepciones a esta regla son *ver, mover, hervir, servir, vivir.*

1.3. Se escribe con **b** el imperfecto del modo indicativo de los verbos que terminan en los sonidos **-aba, -abas, -aba, -ábamos, -abais, -aban**.
Ejemplo: hablaba, hablaba, hablabas, hablaba, hablábamos, hablabais, hablaban

1.4. Se escribe con **b** el imperfecto del modo indicativo del verbo **ir**: **iba, ibas, iba, íbamos, ibais, iban.**

1.5. Se escriben con **b** todas las palabras que llevan la combinación **bl** o **br**.
Ejemplo: (bl) poblado, cable, obligar, establo, blusa,
(br) bravo, cobre, brisa, broma, bruja

2. REGLAS DE LA **V**

2.1. Cuando una palabra se escribe con **v**, todos los derivados de esta palabra retienen la **v**.
Ejemplo: vestido, vestidor, vestuario, venir, vine, vendrá, viene

2.2. Los verbos que no tienen **b** o **v** en el infinitivo pero lo tienen en la conjugación se escriben con **v**, excepto el imperfecto que se escribirá con **b**.

Ejemplos:

ir	andar	tener	estar
voy	anduve	estuve	tuve
vas	anduviste	estuviste	tuviste
va	anduvo	estuvo	tuvo
vamos	anduvimos	estuvimos	tuvimos
vais	anduvisteis	estuvisteis	tuvisteis
van	anduvieron	estuvieron	tuvieron

[1]verbos que terminan en -ar, -er, o -ir.

vaya	anduviera	estuviera	tuviera
vayas	anduvieras	estuvieras	tuvieras
vaya	anduviera	estuviera	tuviera
vayamos	anduviéramos	estuviéramos	tuviéramos
vayáis	anduvierais	estuvierais	tuvierais
vayan	anduvieran	estuvieran	tuvieran

IMPERFECTO: **b**

iba	andaba	estaba
ibas	andabas	estabas
iba	andaba	estaba
íbamos	andábamos	estábamos
ibais	andabais	estabais
iban	andaban	estaban

****

Ejercicio A. Llene el blanco con **b** o **v**

1.	de____er	14.	ha____lar	27.	go____ierno
2.	escri____ir	15.	anda____as	28.	____enir
3.	de____ía	16.	andu____iste	29.	____er
4.	está____amos	17.	tu____imos	30.	____iene
5.	estu____imos	18.	í____amos	31.	i___as
6.	____e____er	19.	____i____ían	32.	go___ernar
7.	____enía	20.	llegá____amos	33.	escri___e
8.	tu____e	21.	____e____ieron	34.	andá__bamos
9.	anda____a	22.	esta____a	35.	de___e
10.	estu____iera	23.	hir____ió	36.	llega___as
11.	ha____er	24.	sa____ía	37.	mue___le
12.	reci____iera	25.	sir____ieron	38.	camina___a
13.	legi____le	26.	anda____an	39.	i__a

II. Sonido /k/: "K", "Q", "C"

1. En español, solamente unas cuantas palabras se escriben con la letra **k**. Estas palabras son: *kepí, kilogramo, kilómetro, kiosko, kilowatts, kilate*. Por lo general, el sonido de la **k** se representa con la **q** y con la **c**.

1.1. La **Q**

La **q**, la cual siempre está acompañada de una **u** muda, se utiliza para representar los sonidos <u>ke</u> y <u>ki:</u>

Ejemplo:	(ke)	**que**:	queso, banquero, quemar
	(ki)	**qui**:	máquina, esquina, quizá

1.2. La **C**

La **c** se utiliza para representar los sonidos **ka, ko, ku**, y **k más consonante**.

Ejemplo:	(ka)	**ca**:	casa, alberca, estaca
	(ko)	**co**:	barco, colonia, costa
	(ku)	**cu**:	cuando, cuatro, cual, cuarto
	(k más consonante)	**cr**:	creer

*****

<u>Ejercicio A</u>. Llene el espacio en blanco con **s**, **c**, o **z** representando el sonido **/k/.**

1. ___erer
2. ___uatro
3. ___ortés
4. ___uidar
5. ___ise
6. a___í
7. ___uanto
8. ___ien
9. ___eso
10. ___ios___o
11. ___orteza
12. ___emadura
13. ___izá
14. ___añón
15. ___ince
16. hor___illa
17. ___epí
18. ban___ero
19. blan___ear
20. ana___el
21. ban___ete
22. bos___e
23. bu___e
24. anar___ía
25. ___eja
26. ani___ilar
27. boti___ín
28. _ilo
29. va___ero
30. al___ilar
31. ___aci___e
32. cer___ita
33. ___uerpo
34. anár___i__o
35. ___ristiano
36. ___ieto

III. Sonido /s/: "C", "S", "Z"

En español, La **c, s,** y la **z** causan errores en la ortografía porque se pronuncian de la misma manera: como la letra **s**.

1. REGLAS DE LA **C**

1.1 La **c** tiene sonido de /s/ únicamente cuando precede las vocales **e, i.** (cero, cielo).

1.2 Se escriben con **c** todos los infinitivos terminados en los sonidos **-cer, -cir, -ciar.**
Ejemplos:

-cer		**-cir**	**-ciar**
hacer	aborrecer	decir	acariciar
conocer	enflaquecer	introducir	anunciar
agradecer	obedecer	traducir	apreciar
permanecer	fallecer	conducir	despreciar
pertenecer	nacer	producir	pronunciar
acaecer	amanecer	seducir	renunciar
torcer			

Las excepciones a esta regla son los infinitivos *ser, toser, coser, ansiar.*

1.3. Se escriben con **c** todas las formas verbales que tengan los sonidos **ce** si provienen de infinitivos que se escriben con **z.**
Ejemplo: almuer**ce** (almorzar)

1.4. Se escriben con **c** la mayoría de los sustantivos que terminan en los sonidos **-cia, -cio.**

-cia		**-cio**	
conciencia	experiencia	comercio	socio
eficiencia	diferencia	aprecio	anuncio
licencia		silencio	

1.5. Se escriben con **c** los sustantivos que terminan en los sonidos **ción** si en inglés terminan en **tion.**[2]
correction >corrección, perfection >perfección, action >acción

1.6. Se escriben con **c** el plural de las palabras que en el singular terminan con **z.**
lápiz >lápices, feliz>felices, luz >luces, juez >jueces, capaz >capaces, voz >voces

---

[2]En español la regla es la siguiente: los sustantivos que terminan en los sonidos "-ción" se escriben con "c" si provienen de participios terminados en "-to" (bendito: bendición).

2. REGLAS DE LA Z

2.1. La **z** aparece únicamente con las vocales **a**, **o**, **u**. (**za**pato, **zo**rro, ca**zu**ela). Las excepciones son *zebra* y *zinc*.

2.2. Se escriben con **z** la mayoría de los infinitivos que terminan en **zar**.

abrazar	avanzar	erizar	lazar
alcanzar	avergonzar	garantizar	popularizar
almorzar	cazar	gozar	realizar
alzar	comenzar	granizar	rechazar
amenazar	cruzar	idealizar	rezar
autorizar	empezar	lanzar	suavizar

2.3. La regla 2.2 tiene muchas excepciones. Algunas excepciones son:

abrasar	atrasar	avisar	confesar	pensar
acusar	atravesar	casar	dispensar	pesar
asar	besar	causar	expulsar	

2.4 Se escriben con **z** todas las formas verbales que tengan las combinaciones **za**, **zo**, si estas formas provienen de infinitivos que terminan en **-zar** (regla 2.2).
autorizar: autorizo autorizas,autoriza, autorizaré, autorizado

2.5. Se escriben con **z** todas las formas verbales que tengan los sonidos **za, zo,** o **zc** si provienen de infinitivos que se escriben con **c**.
Ejemplo: tuer**za** (torcer) hi**zo** (hacer) cono**zc**a (conocer)

2.6. Se escriben con **z** las palabras (sustantivos) que terminan en **anza**, **eza**, **ez** y **enza**.

-anza		**-eza**		
adivinanza	mudanza	agudeza	firmeza	naturaleza
confianza	semejanza	alteza	fortaleza	pobreza
crianza	tardanza	cereza	franqueza	riqueza
enseñanza	templanza	cerveza	gentileza	tristeza
esperanza	venganza	corteza	ligereza	pureza
		dureza	limpieza	sutileza

-ez		**-enza**
ajedrez	tez	trenza
languidez	timidez	vergüenza
sensatez	vez	
	escasez	

3. REGLAS DE LA S

3.1. Cuando una palabra se escribe con **s**, todos los derivados de esa palabra se escribirán con **s**. La **s** no cambia a **c** o a **z** (por su parte, ni la **c** ni la **z** pueden cambiar a **s**).
Ejemplo: pensar: pienso, piensas, piensa, pensamos, piense

3.2. Cuando un infinitivo no tiene sonido de **s** pero sí lo tiene la conjugación, esa conjugación se escribirá siempre con **s**.
Ejemplo: querer: quise, quisiste, quiso quisimos quisieron

3.3. Se escriben con **s** las palabras que terminan en **sión** que provienen de participios que terminan en **do**.

convertido	>	conversión
concluido	>	conclusión
confundido	>	confusión
difundido	>	difusión
excluido	>	exclusión
extendido	>	extensión
divertido	>	diversión
reprimido	>	represión
precisado	>	precisión
presionado	>	presión
profesado	>	profesión
poseído	>	posesión
admitido	>	admisión
suspendido	>	suspensión
obsesionado	>	obsesión

3.4. Se escriben con **s** las palabras que terminan en **ísimo**.
Ejemplos: muchísimo, altísimo, grandísimo, pequeñísimo

****

IV. "SCE" y "SCI"

1. Las siguientes palabras y todos sus derivados llevan **sce** o **sci**.

adolescente
ascender
asceta
consciente
descender
escena
esceptico
escindir
fascinar
imprescindible
misceláneo
obsceno
oscilar
prescindir
susceptible

Ejercicio A. Llene los espacios en blanco con **s, c,** o **z** representando el sonido de /s/.

1. cono_____er
2. tradu_____co
3. amena_____ar
4. condu_____ir
5. hi_____e
6. co_____iendo (comida)
7. tradu_____en
8. ha_____iendo
9. co_____iendo (ropa)
10. raí_____es
11. cono_____co
12. lu_____es
13. mali_____ia
14. ignoran_____ia
15. amane_____er
16. to_____er
17. armoni_____ar
18. infan_____ia
19. abra_____ar (quemar)

20 al_____amos

21. falle_____er
22. ejer_____er
23. obede_____co
24. ca_____ar (matrimonio)
25. ven_____er
26. ofre_____er
27. tuer_____a
28. ven_____a
29. ofre_____ca
30. pade_____ió
31. mere_____co
32. ejer_____a
33. pertene_____er
34. de_____ir
35. pade_____ca
36. organi_____ar
37. adole_____ente
38. ofre_____iera
39. con_____iente
40. pade_____e
41. obede_____er
42. fa_____inación
43. agrade_____er
44. mpre_____indible
45. qui_____o
46. confian_____a
47. firme_____a
48. esperan_____a
49. feli_____es
50. hi_____o
51. pien___e
52. lan___amos
53. cru___ar
54. avan___ar
55. veneno___o
56. atravie___e
57. re___ó
58. a___en___o
59. lapi___ero
60. pi___ina

62. pri___ión
63. pri___ionero
64. lu___ero

65.	cru___é	70.	velo___	75.	al___emos
66.	man___ión	71.	velo___idad	76.	acu___é
67.	la___ar	72.	por___iones	77.	atrave___ar
68.	confe___ar	73.	atra___ado	78.	pobre___a
69.	fero___es	74.	avi__é	79.	___en__ate

****

V. "H"

1. La letra **h** es una letra que en español no se pronuncia.

1.1. Los siguientes infinitivos y sus derivados siempre se escriben con **h**.

ahogar	haber	hallar	hervir	humedecer
ahorcar	habitar	heredar	hincar	humillar
ahorrar	hablar	helar	hinchar	hundir
cohibir	hacer	herir	honrar	hurtar
exhalar	halagar	herrar	huir	inhibir

Ejemplos: ahogaste (ahogar) hiciste (hacer)

1.2. Las interjecciones ¡hola!, ¡oh!, ¡eh!, ¡ah!, ¡bah!

1.3. Las siguientes palabras llevan **h**.
ahora, horario, hijo, harina, hondo, hoy, hebra, hígado, hacha, hoguera, hambre, humo, hilo, hueso, almohada, humilde, zanahoria, hielo,

****

Ejercicio A. Determine cuáles necesitan la letra **h** y dónde.

1.	aogar ________	7.	acer __________	13.	exalar _______
2.	ayamos________	8.	ará ___________	14.	inibir _________
3.	aber __________	9.	allas _________	15.	coibir _________
4.	ervir__________	10.	izo ___________	16.	allar __________
5.	umo ______	11.	incar _________	17.	alagar_________
6.	elar___________	12.	reusar_________	18.	ervidero _______

19. ayan ________
20. uir ________
21. undir ________
22. umedecer ______
23. onrar ________
24. allado ________

25. abitar ________
26. elando ________
27. úmedo ________
28. erradura ______
29. onrado ________
30. umillado ______

31. undió ________
32. ablaba ________
33. uyendo ______
34. icieron ________
35. aorraron ______
36. coibido ______

Ejercicio B. Utilice un diccionario y determine dónde llevan **h** las siguientes palabras.

1. ogar ________
2. amaca _______
3. ondo ________
4. boemio _______
5. aí ________
6. alcool _______
7. alaja ________
8. embra _______
9. ábil ________
10. arina ________
11. taúr ________
12. baía ________
13. aijado _______

14. ongo ________
15. éroe ________
16. oy ________
17. ormiga _______
18. coete ________
19. exibir ________
20. azaña ________
21. umano _______
22. ebra ________
23. ígado ________
24. oja ________
25. orizonte ______
26. aora ________

27. almoada ______
28. ospedar ______
29. ermoso ______
30. ijo ________
31. umo ________
32. igiene _______
33. ilo ________
34. uerta ________
35. ortaliza ______
36. uérfano ______
37. ielo ________
38. ueco ________
39 buo ________

VI. Sonido /j/: "G" y "J"

DISCUSION: **G** y **J.**

La **g** tiene sonido de **j** cuando precede las vocales **e** o **i**; es decir, en las combinaciones **ge, gi** (gente, gitana). No se confunde con las vocales **a, o, u** porque el sonido de la **g** cambia (gato, gota, gorra).

1. REGLAS DE LA **G**.

1.1. Se escriben con **g** los infinitivos que terminan en los sonidos **ger** y **gir**.
-ger: coger, encoger, escoger, recoger
-gir: afligir, elegir, surgir, corregir, fingir, regir, exigir, dirigir,
Excepciones: *tejer, crujir*

1.2. Los siguientes verbos se escriben con **g**.
Ejemplo: exagerar, digerir, sugerir, ingerir, elogiar.

1.3. Cuando un infinitivo se escribe con **g**, cualquier forma verbal de ese infinitivo que lleve los sonidos **ge** o **gi** se escribirá con **g**.

escoger:	escoge, escogemos, escogió
dirigir:	dirige, dirigimos, dirigió
sugerir:	sugiere, sugerimos, sugirió,

1.4. Se escriben con **g** la mayoría de las palabras que tienen los sonidos **gia, gie, gio, gen, gin**.

gía	**gie**	**gio**	**gen**	**gin**
geología	higiene	region	gente	original

2. <u>REGLAS DE LA **"J"**</u>.

2.1. Si una palabra se escribe con **j**, todos los derivados se escribirán con **j**.
Ejemplo: <u>jugar</u>: juego, juegas, juega, jugamos, juegan

2.2 Los verbos que no llevan **j** en el infinitivo, pero llevan este sonido en la conjugación, se escriben con **j**.
Ejemplo: decir: dije, dijiste, dijo, dijimos, dijisteis, dijeron

2.3. La mayoría de las palabras, excepto formas verbales, que terminan con los sonidos **je** se escriben con **j**.

brebaje	garaje	mensaje	porcentaje
coraje	lenguaje	paisaje	reportaje
drenaje	masaje	paje	traje
		plumaje	vendaje

Ejercicio A: Llene cada espacio en blanco con **g** o **j**.

1. enco____er
2. enco____a
3. ele____ir
4. eli____ió
5. diri____ió
6. prote____a
7. eli____o
8. condu____e
9. exi____ir
10. enco____e
11. prote____e
12. enco____ió
13. prote____er
14. eli____a
15. sociolo____ía
16. elo____iar
17. a____encia
18. esco____í
19. di____eron
20. di____erir
21. afli____ir
22. fin____e
23. te____er
24. produ____eron
25. fin____ió
26. corre____ir
27. fin____a
28. porcenta____e
29. paisa____e
30. diri____ir

****

VII. "Ll"

1. REGLAS DE LA **Ll**

1.1. Si una palabra se escribe con **ll**, esta letra se queda en todos los derivados: llave, llavero

1.2. Los siguientes infinitivos y sus derivados se escriben siempre con **ll**:

apellidar	degollar	humillar	llevar	resollar
astillar	desollar	llamar	llorar	sellar
atropellar	fallecer	llegar	maquillar	tallar
callar	hallar	llenar	maravillar	tullir

****

VIII. Sonidos /ll/, /i/ : "Y"

DISCUSION.

La **y** se pronuncia como **i** (Juan **y** Pedro) y como **ll** (yendo). Cuando se pronuncia como la **i**, se le conoce como *semivocal*; Cuando se pronuncia como la **ll**, se le conoce como *semiconsonante*.

1. Reglas de la "Y" como **semivocal**.

1.I Se escribe **y** cuando es conjunción: papel **y** lápiz

1.2. Se escribe **y** cuando el sonido **/i/** aparece en final de palabra y no lleva la fuerza de la voz: maguey, ley, rey, buey, muy, soy, hoy, voy, doy, estoy, hay
(Si el sonido **i** aparece en final de palabra y lleva la fuerza de la voz, entonces la palabra no se escribirá con **y** sino con **í** acentuada: leí, reí, ahí.)

2. Reglas de la "Y" como **semiconsonante**.

2.1. Si en el infinitivo no hay sonido de **ll** pero sí lo hay en la conjugación, entonces la conjugación se escribirá con **y**.
ir (yendo); haber (haya); leer (leyeron); creer (creyendo)

Ejercicio A. Llene el espacio en blanco con **y** o **ll**. A cada espacio dele el sonido de la **ll**.

1. ha_____emos
2. ca_____aron
3. cre_____ó
4. ca_____ar
5. ha_____a (haber)
6. ca_____ó (caer)
7. cre_____eron
8. _____endo
9. ha_____a (hallar)
10. ha_____o
11. maqui_____ar
12. maravi_____a
13. humi_____ación
14. dego_____ar
15. ha___amos (haber)
16. le_____ó
17. le_____eron
18. fa_____eció
19. constru_____ó
20. inclu_____era
21. o_____eron
22. se_____ar
23. inclu_____en
24. asti___ar
25. ape_____ido

Ejercicio B. Llene el espacio en blanco con **y** o **í** (acentuada). A cada espacio dele el sonido de **i**.

1. le_____ (leer)
2. mague_____
3. le_____ (regla)
4. re_____ (jefe)
5. bue_____
6. re_____ (risa)
7. vo_____
8. mu_____
9. Paragua_____
10. guaran_____
11. ho_____
12. so_____

IX. Sonido /rr/: R", "RR"

La letra **rr** (*doble ere* o erre) aparece solamente en medio de una palabra. Nunca se escribe **rr** ni al principio ni al final de una palabra. Una palabra se escribe con **rr** cuando (1) tiene el sonido fuerte (múltiple vibrante), y (2) este sonido fuerte está entre vocales.

Ejemplos: carro - La **rr** tiene sonido fuerte, y este sonido aparece entre vocales.
caro - La **r** aparece entre vocales, pero no tiene sonido fuerte.

Ejercicio A. Decida si la palabra lleva **r** o **rr**.

1. ca_____ta
2. ca_____eta (máscara)
3. ma_____inero
4. ca_____o (auto)
5. ho_____ible
6. ca_____o (precio)
7. te_____ible
8. pe_____de_____
9. en___olla_____
10. _____ebaño
11. subi_____ía
12. so_____tija
13. pe___o (animal)
14. pa___a (planta)
15. aho_____a_____
16. _____oedo_____
17. ce__o (número)
18. de___umba__
19. pa_____illa
20. _____ebaja_____
21. de___ota___
22. a_____opar
23. mi_____a_____
24. ce__ojo
25. pe_____a (fruta)
26. pied_____a
27. tie__a
28. despe_____fecto
29. pue__to__iqueño
30. g__eco__omano
31. mo___al (bolsa)
32. _____aíz
33. fe____oca___il
34. fie__o (metal)
35. inte__umpi____
36. a___iba
37. a____iesga____
38. te_____aza
39. te_____emoto
40. te____est____e
41. te___o____
42. to____e
43. ca___izo
44. ce___adu___a
45. ba_____ote
46. ba_____o
47. bece_____o
48. bi_____ia
49. bo_____acho
50. ocu_____i_____
51. co___ompe_____
52. costa_____icense
53. ba_____io

X. "U", Ü

1. **U**

1.1 La vocal **u** no se pronuncia cuando aparece con la letra **q**:

Ejemplo: querer, queso, quiso, aquí, orquidea

1.2. Tampoco se pronuncia cuando aparece con la letra **g** en las combinaciones **gue** o **gui**:

Ejemplo: guerra, hoguera, guitarra, águila

2. **Ü**

Los dos puntos que a veces aparecen encima de la **ü** se llaman **diéresis**. Estos dos puntos se utilizan cuando se quiere pronunciar la letra **u** en las combinaciones **gue** o **gui**.

Ejemplo: güera, vergüenza, cigüeña, bilingüe, pingüino, agüita

Ejercicio A. Algunas de las siguientes palabras llevan u, ü después de la **g**, otras no llevan. Llene el espacio en blanco con una de ellas si se necesita; si no, déjelo intacto.

1.	q____ímica	7.	seg____ir	13.	g____isar
2.	g____ente	8.	ag____a	14.	ping____ino
3.	jug____ete	9.	g____endarme	15.	hog____era
4.	sig____amos	10.	ág____ila	16.	eleg____ir
5.	biling____e	11.	pag____e	17.	sig____o
6.	g____itana	12.	seg____imos	18.	sig____es

Ejercicio B. Llene cada espacio con la palabra que se define.

1. Si yo hablo dos idiomas, yo soy ____________________.
2. Si me regañan y me río significa que yo no tengo ____________________________.
3. El ave color blanco y negro que habita en el Polo Norte es el ___________________.
4. Lo contrario de modernidad es _______________________.
5. Se dice que el ave que trae a los bebés es la ___________________.
6. A una persona de pelo rubio también se le dice ___________________.
7. Durante la Segunda _____________ Mundial se utilizó la bomba atómica.
8. El diminutivo de "agua" es _________________.

EXAMENES DE ORTOGRAFIA

EXAMEN 1

I. Llene el blanco con **b** or **v** dándole el sonido /b/.

1. re_____elde
2. ___eloz
3. o___eja
4. ___aya
5. ___ailar
6. estu___o
7. ___enir
8. ___oy
9. re___año
10. reci___ía
11. apro___echar
12. andu___iste
13. pro___ocar
14. ___as
15. ___andeja
16. ___a
17. ___urlar
18. ___amos
19. re___ista
20. i___a
21. apro___ar
22. andu___e
23. anda___a
24. reci___ir
25. go___ierno
26. ___enir
27. ___olar
28. í___amos
29. ___asura
30. anda___as
31. ___ondad
32. esta___a
33. a___andonar
34. estu___iéramos
35. ___entaja
36. está___amos
37. a___eja
38. estu___iste
39. go___ernar
40. tu___e
41. en___idia
42. ___asija
43. nu___e
44. ___alle
45. ___lando
46. de___er
47. en___iar
48. escri___ir
49. prue___a
50. ha___er
51. ___eneno
52. sa___ía

II. Llene el blanco con **q** o **c** dándole el sonido /k/.

53. __uatro 54. __uidar 55. __uanto 56. __uando

III. Llene el blanco con **c, s**, o **z** dándole el sonido /s/.

57. impre_____ión
58. pen_____ar
59. avan_____ar
60. ___ere___a
61. hi___o
62. de_____ir
63. franque___a
64. lu_____es
65. raí_____es
66. timide___
67. ven_____er
68. atrave___ar
69. ofre_____er
70. lu_____
71. ofre_____ca
72. re___ar
73. confian_____a
74. cono_____er
75. peda_____o
76. anun_____iar
77. cru___ar
78. go___ar
79. pobre_____a
80. obse_____ión
81. bende___ir
82. acu_____ar
83. lu___es
84. lápi_____es
85. pade_____ca
86. mere_____co
87. en____eñan___a
88. feli_____
89. obede_____er
90. confu_____ión
91. e__peran___a
92. tradu_____ir
93. vengan_____a
94. tradu_____co
95. exten___ión
96. amena_____ar
97. bu_____ón
98. diver_____ión
99. co__iendo (comida)
100. ha___er

IV. Reescriba la palabra si lleva **h** poniéndola donde debe ir. No todas llevan.

101. aora _________
102. orario _____
103. era __________
104. ijo _____
105. arina ________
106. ondo _____
107. aorrar _______
108. oy _____
109. ayamos ______

110. ebra _____

111. aber ________

112. igado _____

113. acha ________

114. oguera ________

115. ambre _______

116. umo _____

117. acer ________

118. ilo _____

119. ablar _______

120. ueso _____

121. incar _______

122. almoada _____

123. umilde ________

124. zanaoria _____

125. ielo ________

V. Llene el blanco con **g** o **j** dándole el sonido /j/.

126. enco_____er

127. fin_____a

128. tra_____e

129. prote_____e

130. diri_____ió

131. lengua_____e

132. esco_____í

133. exi_____ir

134. li_____ero

135. fin_____ir

136. diri_____ir

137. re___ión

138. corri_____e

139. afli_____o

140. paisa___e

141. ele_____ir

142. di_____e

143. gara___e

144. di_____eron

145. afli_____imos

146. hi____iene

147. afli_____ir

148. prote_____a

149. mensa___e

150. prote_____er

151. diri_____ían

152. _____énero

153. fin_____e

154. eli_____o

155. su___iere

156. eli_____ió

157. mensa_____e

158. produ_____eron

159. reporta_____e

160. fin_____ió

161. a_____encia

162. corre_____ir

163. _____ente

VIII. Póngale **diéresis** a la **u** donde se necesite:

164. biling___e

165. ping___ino

166. antig___edad

167. gr ___a

VI. Llene el blanco con "**ll**" o "**y**" dándole el sonido /ll/.

168. ha_____emos
169. o _____eron
170. ca_____ar
171. _____evar
172. cre_____ó
173. orgu_____o
174. ha_____a (encontrar)
175. le_____eron
176. ca_____ó
177. _____enar
178. cre_____eron
179. inclu_____en
180. _____endo
181. ha_____amos (haber)
182. ha_____a (haber)
183. le_____ó
184. ha_____o
185. constru_____a
186. inclu_____era
187. _____egar

VII. Llene el blanco con **r** o **rr** dando el **sonido fuerte** /rr/.

188. ca_____eta
189. ce_____o
190. ca_____tucho
191. a_____iesgar
192. en_____ollar
193. bo_____ador
194. _____ebaño
195. mo_____al
196. pa_____a
197. pa_____illa
198. ca __ ta
199. __ata
200. ca__tero

EXAMEN 2

I. Escoja la respuesta adecuada.

1. Si el infinitivo no tiene sonido de **b** o **v** pero lo tiene la conjugación, esta conjugación se escribirá con ...
   a). **v** menos el imperfecto. b). **b** menos el imperfecto. c). **b** o **v** menos el imperfecto.

2. Si el infinitivo no tiene sonido de **ll** pero lo tiene la conjugación, esta conjugación se escribirá con ...
   a). **I** b). **ll** c). **y**

3. **Recibir** se escribe con **b** y no con **v** porque ...
   a). termina en **-bir**. b). es **infinitivo**. c). es un **verbo de la tercera conjugación**.

4. **Hervir** se escribe con **v** y no con **b** porque ...
   a). termina en **-vir**. b). es un **infinitivo**.
   c). es una excepción a los infinitivos terminados en **-bir**.

5. Generalmente, los **infinitivos** que se escriben con **c** son ...
   a). los que se escriben con **z**. b). los que terminan en **-cir**, **-cer**, y **ciar**.
   c). los que terminan en **-ancia** y en **-encia**.

6. Generalmente, los infinitivos que se escriben con **z** son ...
   a). los que terminan en **-zar**. b). los que terminan en **-anza**, **-eza**, **-enza**, y **-ez**.
   c). los que llevan las sílabas **-za**, **-zo** y **-zu**.

7. Generalmente, las palabras que se escriben con **z** (no incluya verbos) son ...
   a). las que terminan en **-zar**. b). las que terminan en **-enza**
   c). las que llevan la sílaba **-za**.

8. Generalmente, los infinitivos que se escriben con **g** son...
   a). los que terminan en **-ar**. b). los que llevan **j** en el **infinitivo**.
   c). los que terminan en **-ger** y **-gir**.

9. Cuando un infinitivo se escribe con **ll**, la conjugación de este infinitivo se escribe con ...
   a). **i** b). **y** c). **ll**

10. Una palabra se escribe con **rr** ...
    a. cuando se oye el sonido fuerte y este sonido está entre vocales y consonantes.
    b. cuando se oye el sonido fuerte y este sonido está entre vocales.
    c. cuando se oye el sonido fuerte al principio de palabra.

II. Escoja la palabra correcta.

11. a) conocer b) conoser c) conozer
12. a) traducco b) tradusco c) traduzco
13. a) amenacar b) amenasar c) amenazar
14. a) conducir b) condusir c) conduzir
15. a) hico b) hiso c) hizo
16. a) traducen b) tradusen c) traduzen
17. a) haciendo b) hasiendo c) haziendo
18. a) raíces b) raíses c) raízes
19. a) conosco b) conozco c) conosko
20. a) luces b) lusez c) luzes
21. a) cruces b) cruses c) cruzes
22. a) malicia b) malisia c) malizia
23. a) ignorancia b) ignoransia c) ignoranzia
24. a) amanecer b) amaneser c) amanezer
25. a) armonicar b) armonisar c) armonizar
26. a) tocer b) toser c) tozer
27. a) infancia b) infansia c) infanzia
28. a) encoger b) encojer c) encoher
29. a) encoja b) encoga c) encoha
30. a) elegir b) elejir c) elehir
31. a) elijió b) eligió c) elihió
32. a) dirijió b) dirigió c) dirihió
33. a) digerir b) dijerir c) diherir
34. a) eligo b) elijo c) eliho
35. a) conduge b) conduje c) conduhe
36. a) exigir b) exijir c) exihir
37. a) escoger b) escojer c) escoher
38. a) protege b) proteje c) protehe
39. a) encogió b) encojió c) encohió
40. a) proteger b) protejer c) proteher
41. a) eliga b) elija c) eliha
42. a) crugir b) crujir c) cruhir
43. a) escogí b) escojí c) escohí
44. a) fingir b) finjir c) finhir
45. a) corrige b) corrije c) corrihe
46. a) dijeron b) digeron c) diheron
47. a) afligir b) aflijir c) aflihir
48. a) finje b) finge c) finhe
49. a) teger b) tejer c) teher
50. a) produjeron b) produgeron c) produheron
51. a) finjió b) fingió c) finhió
52. a) correjir b) corregir c) correhir
53. a) finja b) finga c) finha

54. a) dirigir b) dirijir c) dirihir
55. a) eligamos b) elijamos c) elihamos
56. a) tejimos b) tegimos c) tehimos
57. a) hallemos b) hayemos c) hayiemos
58. a) cállese b) cáyese c) cálliese
59. a) callar b) cayar c) calliar
60. a) crelló b) creyó c) creyió
61. a) hallen b) hayen c) hallien
62. a) crelleron b) creyeron c) crellieron
63. a) llendo b) yendo c) yiendo
64. a) hallo b) hayo c) hallio
65. a) lelló b) leyó c) leyió
66. a) construlló b) construyó c) construyió
67. a) inclullera b) incluyera c) incluyiera
68. a) olleron b) oyeron c) oieron
69. a) lelleron b) leyeron c) leeron
70. a) obstrulle b) obstruye c) obstruie
71. a) llevar b) llebar c) yevar
72. a) automóvil b) automóbil c) actomóvil
73. a) iba b) iva c) hiba
74. a) estaba b) estava c) eztaba
75. a) estube b) estuve c) estuví
76. a) escribir b) escrivir c) escrevir
77. a) juguete b) jugete c) jugüete
78. a) sigamos b) siguamos c) sicamos
79. a) segimos b) seguimos c) següimos
80. a) sigieron b) siguieron c) sigüieron

EXAMEN 3

Corrija la ortografía de los siguientes párrafos incluyendo acentos.

1. ¿Ola prima? ¿Como te a ido? Espero que te enquentres bien. ¿Te aquerdas que quando viniste de vacasiones te platice que iva a entrar al colegio de la comunidad? Durante la primera parte del verano escoji dos classes, una de matematicas y otra de español. Me estaba llendo bien, pero despues tube que dejar matematicas. El maestro iva mui recio y no entendia lo que el estava asiendo. Me perdi mui fasil. Durante la segunda secion boi a tomar la segunda parte de español y dos classes de ejersisios. Quiero graduarme en dos años y despues irme a la universidad.

2. La gente que toma alcohol no cree que sea un peligro porque la bebida esta legalizada. La cerveza se enquentra anunciada por todas partes de la cuidad. A mi el alcohol me destrullo economicamente. Tube un accidente automobilistico donde casi perdi la vida. Gracias a Dios no mate a nadie. Lo unico que me paso fue que perdi mi carro nuevo y tube que pagar multas al condado y a la cuidad por un poste que me lleve. Asta la fecha estoi pagando multas para que me quiten los cargos pendientes que son manejar en estado de ebriedad y causar un accidente. El accidente me ocurrio el año pasado durante mi cumpleaños. La leccion que aprendi es que no vale la pena manijar borracho porque puede causar la vida de una o varios personas. Yo fui afortunado porque a mi no me paso nada, pero pude aver perdido la vida. Yo recommiendo que no manejen si están bajo la influencia del alcohol. Les puede costar la vida; o, como en mi caso, mucho dinero.

3. Era un savado en la noche, y lla nos aviamos durmido cuando se robaron mi camioneta. Cuando amanesio, notamos que no estava donde yo la avia estasionado. Llamamos ha la polecia. Llegaron y comprovaron que se la avian robado. Despues le tuve que hablar a la seguranza desesperado y

triste porque me avian rovado la camioneta. Avia trabajado tanto para obtenerla. Me dava tristesa saver que en solo tres meses avia desaparesido. Lla la avia hareglado muy bonita; hasta le avia puesto un "camper"y me pudo tanto que asta llore. Pasaron tres meses antes que la polecia la encontrara. Cuando me informaron que lla la avian encontrado, les dije que los de la seguranza lla me avian dado otra. Pase por una experencia mui triste, y no se la deseo a nadien.

4. Cuando yo empese a ir a la escuela, no savia avlar ingles. Se me iso mui difisil. No entendia nada de lo que los maestros dician. Yo solo llegava a la clase y me sentava a escuchar. Una maestra nos ponia muncho a leyer en vos alta. Esta practica me dava muncha pena porque yo tenia miedo de pronunciar mal una palabra, pero me daba mas verguensa quedarme callado aci que tenia que aserlo. Gracias a las enseñansas de una maestra de ingles, pude aprender el idioma.

5. Cuando a entre a la escuela venia de Juarez, Chihuahua. Me sentia mui differente a los demas estudiantes porque aparte de que no savia el idioma, su forma de pensar y sus costumbres heran differentes a las mias. Yo no savia lo que era P.E. ni conosia sus juegos. Yo no esperava que los estudiantes me discriminaran porque todos heramos iguales, pero si lo asian. Me dolia muncho que me isieran menos pues yo considerava que todos heramos hermanos de rasa. Con el tiempo aprendi ingles y ya no me senti tan discriminado ni tan solo. Ora si lo hablo mui bien. Lo que me falla es el español.

SEXTA SECCION:

LA ESCRITURA Y LA PUNTUACION

CAPITULO 11: LA ESCRITURA

Las partes de la oración
La frase
La oración

La educación bilingüe para los hispanos en los Estados Unidos

La educación bilingüe es una forma de enseñanza en las escuelas primarias. Es un programa para los niños hispanos que no hablan inglés cuando se inscriben por vez primera en la escuela. En estos programas a los niños se les enseña inglés a la vez que toman materias en otras áreas en español. Conllevan también un aspecto cultural. A los niños se les habla de la historia, la literatura, y las artes de la cultura hispana. Un propósito de estos programas bilingües es evitar que el niño se atrase en la escuela por no saber inglés. Otro es el desarrollar sus facultades cognoscitivas así como un autoconcepto positivo.

La educación bilingüe no es un programa compensatorio, sino uno que intenta dar acceso en la educación a todos los niños por igual. Una vez que los niños han aprendido el idioma inglés se les pone en el programa regular de cursos en inglés con el resto de los niños. Este tipo de programa bilingüe se conoce como modelo de transición. En los Estados Unidos no existe un modelo de mantenimiento donde se incluya el bilingüismo y biculturalismo a través de los doce años escolares --desde la primaria hasta la *high school.*

Actualmente, los grupos que más han utilizado la educación bilingüe han sido principalmente los hispanos y los orientales. Cuando a estos grupos se les ha enseñado a través de este método, el público muchas veces ha protestado por no estar familiarizado con este método de enseñanza. Mucha gente está bajo la impresión que lo único que se hace en estas clases es impartir enseñanza en español sin enseñar el idioma inglés. Esta falta de información ha creado descontento hacia estos programas. La preservación de los programas bilingües se debe en gran parte al empuje que el gobierno federal ha dado a este tipo de enseñanza desde la década de los sesenta del siglo XX. En 1968, el gobierno federal legitimiza la educación bilingüe cuando el Congreso de los Estados Unidos aprueba el Acto de Educación Bilingüe (*Bilingual Education Act*). Este Acto, que incluía fondos para las instituciones participantes, proponía que se establecieran (1) programas de educación bilingüe, (2) programas relacionados a la cultura y la historia del estudiante, (3) más estrechos lazos entre la escuela y la casa, (4) programas para adultos, especialmente para los padres que tuvieran hijos en programas bilingües, (5) programas para aquellos estudiantes que se hubieran salido de la escuela o estuvieran a punto de salirse de la escuela por no saber inglés, (6) programas en escuelas técnicas acreditadas, (7) otros programas que sirvieran el propósito de este Acto.

El 25 de mayo de 1972, cuatro años después del Acto de Educación Bilingüe, el Departamento de Salubridad, Educación, y

Bienestar (HEW) reafirma la necesidad del bilingüismo en la educación. En un importante memorándum se estipulaba claramente
45 que los distritos escolares con minorías étnicas de más de 5% tenían la obligación de educarlas dándoles igualdad de acceso en la educación. De no hacerlo, el Departamento podría quitar los fondos federales que las instituciones educativas estuvieran recibiendo. En Texas, hubo tres distritos a quienes se les recomendó que
50 establecieran programas para los hispanos: El Paso Independent School District, Socorro Independent School District y Uvalde Independent School District.

El mayor impulso para el establecimiento de la educación bilingüe fue el fallo de la Suprema Corte de los Estados Unidos el 21
55 de enero de 1971 en el caso de Lau et al. v Nichols. Este caso involucraba al San Francisco Independent School District y aproximadamente a 2,800 estudiantes chinos de los cuales 1,800 no hablaban inglés. Estos 1,800 estudiantes no podían tomar ventaja de la educación pues se impartía en inglés. La Suprema Corte se basó en
60 una de las secciones del Civil Rights Act de 1964 (Acto de Derechos Civiles) para su decisión. Esta sección del Acto prohibe que en programas o actividades que reciban fondos federales haya discriminación basada en raza, color, o nacionalidad

El apoyo federal ha mantenido los programas bilingües a pesar
65 de la controversia que existe entre los legisladores, educadores, y padres de familia. Aquellos que apoyan la educación bilingüe dicen que este tipo de enseñanza ayuda al pequeño estudiante porque (1) no se atrasa en la escuela, (2) aprende inglés y español, (3) sabe lo que está ocurriendo en la clase, y (4) está con compañeros y profesores
70 que comparten su idioma y su cultura. Por su parte, los individuos que están en contra dicen que el pequeño estudiante (1) se atrasa en la escuela, (2) no aprende bien ni el inglés ni su propio idioma, (3) pierde la oportunidad de compartir experiencias con personas de otra cultura, y (4) se siente inferior a aquellos niños que no están en programas bilingües. El debate continúa en la actualidad.

Ejercicio A. Conteste las siguientes preguntas.

1. ¿Hacia qué nivel va dirigida la educación bilingüe?
2. ¿Cuáles son los componentes de un programa bilingüe?
3. ¿Cuándo ocurrieron los primeros brotes de educación bilingüe y por qué?
4. ¿En qué nivel gubernamental ha encontrado el mayor apoyo la educación bilingüe?
5. ¿Cuál es la primera ley que favorece la educación bilingüe?
6. ¿Qué propone el Acto de Educación Bilingüe?
7. ¿Qué ocurre el 25 de mayo de 1972?
8. ¿Cuáles son tres distritos donde se recomendó que se establecieran programas bilingües?
9. ¿Qué ocurrió en Lau v. Nichols?

10. ¿Cuáles son los comentarios a favor de los programas bilingües? ¿en contra?

Ejercicio B. Para escribir.
Después de haber leído la lectura ¿ piensa usted que debe haber educación bilingüe en las escuelas? Escriba una página expresando su opinión.

****

I. PARTES DE LA ORACION.

1. VERBO. Muestra acción o estado: La muchacha lee. (acción). La muchacha es bonita. (estado)

2. SUSTANTIVO. Nombra las cosas reales o mentales: cuaderno, paciencia, hombre,

3. PRONOMBRE. Toma el lugar del sustantivo.
(María está enferma. Ella se siente mal.)

Hay pronombres personales, relativos, interrogativos, demostrativos, indefinidos, reflexivos y complementos directos, e indirectos.

3.1. Personales: yo, tú, usted, él, ella, nosotros, vosotros, ustedes, ellos, ellas.
Yo asisto a clase.

3.2. Relativos: quien, quienes, el cual, la cual, los cuales, las cuales, cuyo, cuya, cuyos, cuyas:
El es el muchacho de quien te hablé.

3.3. Interrogativos: quién, quiénes, de quién, de quiénes, qué, cuál, cuáles.
¿Quién estuvo aquí ayer?

3.4. Demostrativos: este, ésta, estos, estas, ese, esa, esos, esas, aquel, aquella, aquellos, aquellas.
De los dos libros, me gusta este.

3.5. Indefinidos: alguien, algo, ninguno, nada, nadie, cualquiera.
Alguien estuvo en casa hoy.

3.6. Reflexivos: me, te, se, nos: Yo me llamo José.

3.7. Directos: me, te, lo, la, nos, los, las: ¿El libro? Ya se lo di.

3.8. Indirectos: me, te, le, nos, les: Tú les hablaste a tus padres.

4. ADJETIVO. Modifica al sustantivo o al pronombre personal. El adjetivo contesta las preguntas ¿cuál?, ¿cuáles?, ¿qué clase?, ¿cuántos?.
La muchacha bonita. (¿cuál muchacha?)
La muchacha bondadosa. (¿qué clase de muchacha?)

5. ADVERBIO. Modifica al verbo, a otro adverbio, o a un adjetivo. Responde a las preguntas ¿cuándo? ¿dónde? ¿por qué? ¿cómo? ¿hasta qué grado? ¿bajo qué condiciones o circunstancias?
El profesor explicó rápidamente.(describe al verbo)
El profesor explicó muy rápidamente. (describe al adverbio)
El profesor es bastante difícil.(describe al adjetivo)

6. PREPOSICION. Se pone antes de un sustantivo o pronombre para formar una frase que describe otra palabra en la oración. Algunas preposiciones son: *(de)bajo de, arriba de, sobre, en, encima de, detrás de, en contra de, cerca de, a, a través de, acerca de, desde, durante, alrededor de, en, al lado de, enfrente de, sin que, después de, antes de, con, a pesar de, ni, por, para, con, sin.*
El muchacho está escondido debajo de la mesa. (debajo de la mesa es un adverbio que describe *está escondido*)

7. CONJUNCION. Une palabras, frases o cláusulas. Hay conjunciones coordinadas y conjunciones subordinadas.

7.1. Conjunciones coordinadas. Une oraciones completas. Las conjunciones coordinadas más comunes son: *y, pero, o, sino.*
Nadamos toda la tarde, y después nos fuimos a comer.

7.2. Conjunciones subordinadas. Iintroducen las clausulas subordinadas. Las conjunciones más comunes son: *que, lo que, ya que, porque, así que, para que, aunque, mientras, mientras que, como, cuando, antes que, desde que, después que, una vez que, hasta, hasta que, donde, si, a menos que, tanto como, sin que, a eso de, alrededor de.*
Tú no estudias cuando estás en la biblioteca; .

8. INTERJECCION. La interjección expresa emoción: *¡bah!, ¡oh!, ah!.*
¡*Ah*, ya recordé de la combinación!

9. PALABRAS TRANSICIONALES.
Las palabras transicionales se utilizan para pasar de una oración a otra o de un párrafo a otro. Las más comunes son: *a continuación, mientras tanto, al día siguiente, más tarde, finalmente, sin embargo, a pesar de eso, por un lado, por otro lado, no obstante, al contrario, por el contrario, consecuentemente, como resultado, por lo tanto, es más, igualmente, asimismo, de hecho, en otras palabras, para resumir, resumiendo, en conclusión, es decir, por ejemplo, de esta manera, también, de todas maneras, además, mientras tanto, de otra manera, luego, específicamente.*
Es importante salir pronto; por lo tanto, apurémonos.

Ejercicio. Identifique la parte de la oración que está subrayada.

1. Yo te hablé con calma.

2. Ese es el empleado que siempre llega tarde.

3. La alfombra amarilla se manchó demasiado.

4. Yo me siento enfrente de ti.

5. Juan corrió muy despacio.

6. Yo me voy pero tú te quedas hasta que venga el jefe.

7. El me dijo que pintara la casa amarilla.

8. No regresó hasta las cinco.

9. Se queda con tal que yo vaya ahora.

10. Yo le hablé al ingeniero para que viniera.

11. Voy a estudiar muy poco; sin embargo, voy a aprobar el examen.

12. Necesito ganar bastante dinero esta semana así que me quedaré a trabajar tarde.

****

II. LA FRASE

La frase es un grupo de dos palabras o más que no expresa un pensamiento completo. La frase puede ser introducida por una preposición, por un participio, gerundio, o por un infinitivo. Las frases tienen función de sustantivo, adjetivo, o adverbio.

Por haber llegado tarde, me perdí la mitad de la película. (Frase utilizada como adverbio introducida por preposición)

Me gusta *estudiar la literatura*. (Frase utilizada como un sustantivo introducida por un infinitivo)

Yo leí *hasta muy tarde*. (Frase utilizada como adverbio introducida por preposición)

El libro *que sobresale de ese grupo* es mío. (Frase utilizada como adjetivo introducida por conjunción.)

Ejercicio. ¿Qué función tienen cada una de las siguientes frases (sustantivo, adjetivo, o adverbio)?

1. El libro que se rompió estaba muy viejo.

2. La criada barrió con mucho cuidado.

3. Bañé a la sobrinita que está enferma.

4. El hombre de México huyó.

5. El hombre huyó de México.

6. Ayer mi padre trabajó arduamente.

7. El joven que dio el discurso es mi hijo.

8. Me trajeron la computadora que no sirve.

9. No me gusta que me hables a gritos.

****

III. ORACION COMPLETA E INCOMPLETA

Una oración o clàusula independiente expresa un pesamiento completo. Para expresar un pensamiento completo es necesario:

1. que haya un sujeto y un verbo principal;
2. que el verbo principal esté en el modo indicativo, potencial, o imperativo;
3. que la oración no esté introducida por una palabra subordinada.

Si falta una de estas condiciones, entonces no hay oración completa. Lo que hay son grupos de palabras que pueden ser una frase o, si el grupo de palabras tiene un sujeto y verbo, una *cláusula subordinada.* Una cláusula subordinada es una oración incompleta pues aunque tiene un sujeto y un verbo (predicado), está introducida por una palabra subordinada o un pronombre relativo.

Si Martín vino a casa. (Cláusula subordinada introducida por conjunción)
Mario no sabe *si Martín vino a casa.* (Oración completa. Cláusula utilizada como sustantivo)

Quienes te hablaron. (Cláusula subordinada introducida por pronombre relativo)
Ellos son *quienes te hablaron* (Oración completa. Cláusula utilizada como adjetivo)

Porque yo no podía dormir. (Cláusula subordinada introducida por conjunción.)
Yo leí *porque yo no podía dormi*r. (Oración completa. Cláusula utilizada como adverbio)

Ejercicio. Determine si los siguientes grupos de palabras son oraciones completas o no. Si no lo son, conviértalas a oraciones completas.

1. Cuando yo sé el número.

2. Ya que no vino porque no le aumenté el sueldo.

3. Después que vio la película, yo hablé con ella.

4. la escritora, antes de venir sin saber adónde iba.

5. Aunque pidió disculpas porque no quería quedarse.

6. Así que no te vayas porque Jorge sin saber dónde te encuentras.

7. Hasta que él estudie por su cuenta y pueda salir adelante sin la ayuda de nadie.

8. Cuando tú vengas y recibas las malas noticias para ver que opinas.

9. Si viene a verte y desea que lo recibas amablemente.

10. El patio, el cual estaba lleno de yerba y reseco porque no habia llovido ni lo habían regado.

11. Yo no puedo asistir a clase hoy.

12. Pedro aunque se quedara.

13. Por otro lado, los milagros nunca ocurren en la iglesia.

****

IV. LA ORACION: LA SUBORDINACION

1. La subordinación añade detalles secundarios a la idea principal.

La idea principal debe estar en la claúsula independiente y ponerse al final de la oración. En las siguientes oraciones, note como en la primera oración el deportista no está contento con su forma de jugar pero en la segunda sí:

> Aunque yo juego mucho más rápido, ahora anoto menos puntos.
> Aunque ahora anoto menos puntos, juego mucho más rápido.

En las dos oraciones la idea principal está en la claúsula independiente no en la subordinada. También note como la idea principal está al final de la oración.

2. La subordinación mejora oraciones demasiado cortas, o largas, y desorganizadas.
Cuando haya varias claúsulas independientes en una sola oración, subordine una de ellas.

A muchos lectores les gustan las últimas novelas de Carlos Fuentes y leen Cristóbal Nonato o Gringo viejo, pero yo prefiero sus primeros escritos.
Aunque a muchos lectores les gustan las últimas novelas de Carlos Fuentes y leen Cristóbal nonato o Gringo viejo, yo prefiero sus primeros escritos.

Cuando haya oraciones demasiado cortas, combínelas.

> Raúl quería ser escritor. Leyó muchas novelas. Después tomó cursos de literatura creativa.
> *Cuando* Raúl quería ser escritor, leyó muchas novelas y tomó cursos de literatura creativa.

3. La subordinación no se utiliza en exceso.
Así como la subordinación puede mejorar oraciones, también puede perjudicarlas si se utiliza excesivamente. Oraciones demasiado largas unidas por conjunciones o preposiciones (porque, pero, y, lo cual, sin que, etc.) dan como resultado oraciones confusas y monótonas.

> Yo quería ir a comer porque había estado trabajando demasiado tratando de arreglar la computadora, pero el jefe me dijo que para ir necesitaba quedarme y terminar la tarea de ese día así que decidí hacerlo, y a pesar de que me llamó mi amiga varias veces para que la acompañara, le tuve que decir lo que me dijo el jefe: que primero tenía que terminar mi trabajo.

> Yo quería ir a comer porque había estado trabajando demasiado tratando de arreglar la computadora. Sin embargo, el jefe me dijo que para ir necesitaba quedarme y terminar la tarea de ese día. Decidí hacerlo a pesar de que me llamó mi amiga varias veces para que la acompañara. Le tuve que decir lo que me dijo el jefe: que primero tenía que terminar mi trabajo.

****

V. LA ORACION: ENFASIS

1. El lugar más importante para énfasis es al final de la oración.
Enfatice frases o palabras claves poniéndolas al final o al principio de la oración.

El respeto al derecho ajeno es la paz como dijo Benito Juárez. (El lector se queda pensando en "Juárez".)
Benito Juárez dijo que el respeto al derecho ajeno es la paz. (El lector se queda pensando en "paz".)

2. Después de una serie de oraciones largas, se puede enfatizar la idea con una oración corta.

Durante la temporada de trabajo, Pedro era el que llegaba más tarde a la labor. Por la noche cuando ya todos estábamos acostados, siempre veíamos luz en su casa. Pensábamos que quizás era un vicioso. Cuando graduó de high school con honores supimos la verdadera razón de la luz. Se desvelaba estudiando.

3. Se debe utilizar la voz activa en vez de la voz pasiva cuando sea posible..

Voz pasiva: La discreción de los padres hacia los hijos *es aconsejada* por los profesores.
Voz activa: Los profesores *aconsejan* la discreción de los padres hacia los hijos.

4. La repetición de palabras se utiliza para transición y énfasis no por falta de vocabulario o dedicación.

Mi hermano y yo queríamos ser profesores. Queríamos ser profesores por razones distintas. Yo quería ser profesor porque me gustaba el horario. El quería ser profesor porque le gustaba enseñar.

Más apropiado:

Mi hermano y yo queríamos ser profesores por razones distintas: yo por el horario, él por la enseñanza.

5. Se debe evitar la ambigüedad en la oración.

Manuel le dijo a Eduardo que él ganaba más dinero. (¿Quién ganaba más dinero, ¿Manuel o Eduardo?)

El niño le entregó el pajarito al dueño de la tienda con las alas rotas. (¿Quién tiene las alas rotas, el pajarito o el dueño?)

Para evitar la ambigüedad se deben poner los adjetivos (palabras, frases o claúsulas) lo más cerca posible del nombre o pronombre que modifican.

6. Utilice sustantivos para aclarar vocablos que no tienen significado tales como "esto", "eso", "por eso".

Después que el estudiante reprobó el examen, el profesor se lo administró nuevamente. *Esto* es muy común en los planteles educativos. (vago)

Después que el estudiante reprobó el examen, el profesor se lo administró nuevamente. *Esta práctica* es muy común en los planteles educativos. (específico)

CAPITULO 12

LA PUNTUACION

La coma
El punto y coma
Dos puntos.

I. LA COMA

1. LA COMA (,)

La coma elimina la incomprensión y la ambigüedad en la oración.

Felicia mi hija es profesora. (¿Es Felicia profesora o se le habla a Felicia?)

La coma soluciona esta ambigüedad:

Felicia, mi hija, es profesora. (Felicia es profesora.)
Felicia, mi hija es profesora. (Se le habla a Felicia.)

1.1. Ponga una coma antes de una conjunción coordinada para separar dos oraciones independientes.

Yo quiero estudiar, *pero* Carlos no me deja.

1.2. Ponga coma para separar:

A. millares y millones: 1,000 1,000,000
B. fecha: lunes, 24 de diciembre
C. ciudad, estado y nación: El Paso, Texas, Estados Unidos.

1.3. Ponga una coma para introducir citas directas.

El alumno dijo, "Hoy no tengo tiempo de estudiar".

1.4 Ponga una coma para separar texto citado del no citado.

"Después de todo", dijo el alumno, "hoy no tengo tiempo estudiar".

1.5. Ponga una coma para separar elementos de contraste.

Entre más estudio, peores calificaciones obtengo.

1.6. Ponga una coma para separar series de palabras, de frases, o de claúsulas que no estén separadas por conjunciones coordinadas.

El profesor notó que no todos traían cuaderno, libro, pluma, lápiz, y papel.

Miguel deseaba obtener una beca para ir a una buena universidad, para cambiar de ciudad, para conocer gente nueva.

1.7. Ponga una coma al final de una frase o claúsula subordinada que principia la oración.

Aunque yo he leído muchas novelas de Carlos Fuentes, prefiero las novelas de Mario Vargas Llosa.

1.8. Ponga una coma para separar frases parentéticas.

El chofer, por lo visto, no llegará pronto.

1.9 Ponga una coma para separar frases que describen sustantivos o pronombres.

Juan, el mecánico, está enfermo.

2. Ponga una coma para separar palabras, frases o claúsulas que interrumpen la fluidez de la oración siempre y cuando estas comas no alteren el sentido básico de la oración.

> El veredicto del jurado que absolvió a los policías que golpearon brutalmente a Rodney King, *el joven negro que recibiera más de cincuenta macanazos*, fue el causante directo de las sangrientas protestas que ocurrieron en Los Angeles.

(La frase entre comas explica más acerca de Rodney King pero no altera la oración básica: <u>El veredicto del jurado que absolvió a los policías que golpearon brutalmente a Rodney King fue el causante directo de las sangrientas protestas que ocurrieron en Los Angeles.</u>)

2.1. Ponga una coma después de palabras transicionales.

> Elena aprendió a nadar excelentemente en una semana; es más, parecía que había nadado toda su vida.

Cuando la palabra transicional aparece en medio de la oración y no al principio, se pueden poner comas antes y después de la palabra.

> Los padres quieren salir temprano; los hijos, sin embargo, todavía están dormidos.

****

<u>Ejercicio</u>. Incluya las comas necesarias. No todas las oraciones necesitan. (Las respuestas están en la pág. 254)

1. Juan leyó muchisimos avisos acerca de los cigarrillos así que dejó de fumar.

2. Para descubrir la verdad es necesario saber los hechos.

3. Aunque he vivido en México durante muchos años no me he acostumbrado todavía a la gente de ahí.

4. Poniendo especial cuidado a los comentarios de Luisa el siquiatra tomó cuidadosos apuntes en cada sesión.

5. Cuando la compañía compró las computadoras nadie se imaginó que la producción aumentaría tanto.

6. El profesor se dio cuenta que en la lista de alumnos faltaban Ramírez Hernández Sánchez y Gómez.

7. Gabriel García Márquez ha escrito grandes novelas pero <u>Cien años de soledad</u> es la más famosa.

8. El museo el cual esta en la Calle Montana está abierto de lunes a viernes.

9. Cuando me reciba empezaré a trabajar en una maquiladora en Ciudad Juárez.

10. Mario Rendón un conocido cantante se presentará la próxima semana.

11. No tenía interés en leer Gringo viejo; sin embargo decidí hacerlo.

12. El autor dijo "Hay poco público pero escogido".

13. Raúl el muchacho que estaba aquí cuando tú llegaste es muy buena gente.

14. Aunque yo quiero ir de vacaciones este verano no podré hacerlo.

15. El libro que estoy leyendo por cierto bastante largo se llama Palinuro de México.

****

II. EL PUNTO Y COMA (;)

1. EL PUNTO Y COMA (;)
El punto y coma es el signo de puntuación intermedio entre una coma y un punto.

1.1. Ponga punto y coma para separar dos claúsulas independientes (dos oraciones completas) que no están unidas por una conjunción coordinada.

Yo voy a entrar al concurso de oratoria nuevamente; quiero obtener el primer lugar.

1.2. Ponga punto y coma antes de una palabra transicional.

Yo voy a entrar al concurso de oratoria nuevamente; *sin embargo*, esta vez quiero obtener el primer lugar.

1.3. Ponga punto y coma para separar series que ya contienen comas.
Yo ya fui de vacaciones a Acapulco, México; a Buenos Aires, Argentina; a Río de Janeiro, Brasil.

Ejercicio. Determine dónde deben llevar el punto y coma (;) y la coma (,) las siguientes oraciones. (Las respuestas están en la pág. 254)

1. Estuvimos en México únicamente durante el día por lo tanto no pudimos disfrutar del México de noche.

2. Al principio la idea de ir a Cuernavaca nos pareció ridícula luego alguien opinó que no era mala idea.

3. La lluvia estaba tan fuerte que no queríamos ir al cine es más ni siquiera queríamos salir a cerrar las ventanas del auto.

4. Yo estaba cansado de jugar no obstante decidí jugar de nuevo para ver si lo derrotaba.

5. Yo también quiero ir a la playa por lo tanto déjame terminar este trabajo y nos vamos.

6. El próximo verano estaré en Laredo Texas Santa Fe Nuevo Mexico Tucson Arizona y San Diego California.

7. Por un lado no deseo ir a San Antonio por otro deseo ver a mi familia que vive en esa ciudad.

8. Juan el muchacho que vive al lado esta asistiendo a una universidad en Chicago Illinois.

****

III. DOS PUNTOS (:)

1. DOS PUNTOS (:)
Los dos puntos son un signo de suspenso o de algo que se va a añadir. Después de los dos puntos, generalmente se explica o ilustra lo que se acaba de decir.

1.1. Ponga dos puntos después de una oración completa que introduzca una lista de cosas, un ejemplo, o que enfatice la oración completa.

Yo estoy tomando cinco materias: matemáticas, historia, biología, estadística, y educación física. (introducción de una lista de cosas)

Yo soy un buen estudiante: estoy tomando cinco materias difíciles. (Un ejemplo o un énfasis a la primera oración: "Yo soy un buen estudiante".)

1.2. Ponga dos puntos entre dos claúsulas independientes (dos oraciones completas) pero únicamente si están muy estrechamente relacionadas (por ejemplo, i la segunda oración resume o explica la primera).

El ya está viejo: tiene 75 años.
Miguel no sabía que hacer con la información: estaba confuso.

1.3. Ponga dos puntos en los siguientes casos:

1) entre horas y minutos. 1:20 P.M.

2) entre capítulo de la Biblia y verso. Génesis 2:8

3) entre título y subtítulo: París: La Ciudad de las Luces

4) en la introducción de saludos formales: Estimado doctor Martínez:

1.4. Evite el uso equivocado de dos puntos. No utilice dos puntos ...

(1) después de "tal / es como".

Los libros que se hallan en ese cuarto son de autores **tales** como Azuela, Fuentes, Paz, Roa Bastos, y Cervantes.

(2) entre verbo y su complemento.

Las cualidades para lograr una carrera **son** perseverancia, dedicación, y disciplina.

(3) después de una preposición.

Los materiales que se utilizan en esa escultura consisten **de** bronce, cobre, y plata.

Ejercicio. Determine si las siguientes oraciones deben llevar dos puntos y dónde. (Las respuestas están en la pág. 254)

1. Solamente podemos hacer una cosa marcharnos lo antes posible.
2. Aquí está lo que necesitamos arroz, tomate, tortillas y huevos.
3. Para ser un buen atleta es necesario correr, levantar pesas, practicar, llevar una buena dieta y acostarse temprano.
4. Yo no puedo ir al cine hoy porque tengo que estudiar, limpiar la casa, y arreglar mi auto.
5. Quiero irme pronto, pero antes necesito hacer lo siguiente apagar las luces y cerrar con llave.
6. Marcos es muy buen estudiante porque no sale de la bibilioteca.
7. Yo vivo en El Paso La Ciudad del Sol.
8. Juan necesita los siguientes materiales cuadernos, libros, una pluma, y lápices.

REPASO DE PUNTUACION

(las respuestas están en la pág. 255)

I. Incluya (1) punto y coma, (2) coma, o (3) dos puntos en las oraciones que necesiten. Es posible usar distinta puntuación en una misma oración.

1. Nuestro sistema judicial necesita leyes más estrictas para los criminales adolescentes las leyes actuales son inadecuadas.

2. La habilidad de los atletas es indiscutible sin embargo la drogadicción está destruyendo a muchos de ellos.

3. Cuando yo era chico mi padre mencionaba constantemente al famoso cantante mexicano Jorge Negrete para animarme a que lo escuchara pero a mí no me gustaba yo prefería escuchar a los "Beatles".

4. Aunque no había suficientes estudiantes el profesor dio principio a la clase.

5. Mi amigo si verdaderamente lo fuera podría venir por mí a las 7:00 para llevarme a la escuela pero principalmente para hacerme esperar insiste en recogerme hasta las 7:30.

6. Por un lado yo necesitaba salir temprano por otro tenía que ayudarle al jefe.

7. Esta semana tuve una serie de complicaciones María la criada no vino en toda la semana a Juanita mi sobrina la despidieron de su trabajo y a Lupita mi hermana la operaron.

8. En el auto iban Guillermo su hijastro Enriqueta su hijastra y Magdalena su cuñada.

9. Todos estaban convencidos que el mal tiempo impediría que la serie de béisbol empezara a tiempo sin embargo todo salió bien.

10. Los jóvenes al cumplir dieciocho años que es su mayoría de edad pueden tomar la decisión de casarse sin el consentimiento de los padres.

11. Mientras que en otras épocas los jovenes debían obedecer a los padres ciegamente hoy día estas costumbres han cambiado.

12. Como resultado de que los padres acepten que sus hijos escojan a la compañera de su vida la relación entre padres e hijos ha mejorado mucho.

13. A la novia o a la esposa se le puede mantener contenta regalándole un vestido un perfume o un ramo de flores en fin alguna cosa que a ella le agrade.

14. Es bueno que la pareja se conozca bien antes de casarse así en caso de que no tengan las mismas inclinaciones hacia el matrimonio todavía habrá tiempo de romper el compromiso.

15. Por educación y cariño es obligación de los hijos informar a los padres de sus planes de matrimonio de esta manera quizás los padres les ayuden ya sea aconsejándolos o económicamente.

16. Aunque los gastos de la boda sean por cuenta de los padres éstos no tienen el derecho de escoger la pareja.

17. Los niños no son tan responsables como los adultos los niños no tienen el grado de madurez que tiene un adulto por ejemplo un niño sabe que tiene hambre y que tiene que comer pero no sabe cómo se obtiene o cómo se prepara la comida él sólo sabe comérsela.

18. Los niños sienten temor hacia el payaso por su vestuario y por su cara por su vestuario porque el payaso usa los pantalones muy flojos y los zapatos demasiado grandes por su cara porque la pintura exagera sus rasgos haciéndolo aparecer diferente.

19. A los niños les gustan los payasos porque les hacen reír sin embargo no por ello dejan de tenerle miedo hasta tal punto que a veces huyen de él.

20. He aprendido muchísimo este semestre a pesar de que mis párrafos todavía contienen errores.

21. Existen individuos que se proponen alcanzar una meta aunque se tarden años para lograrla.

22. Los jóvenes son los que empiezan una nueva familia por lo tanto deben ser ellos quienes decidan cómo llevarán su nueva vida.

23. En una relación amorosa es importante saber las creencias religiosas de esta manera en caso de que la pareja no tenga las mismas preferencias habrá tiempo para llegar a un acuerdo o deshacer el compromiso.

24. Mi hermana si deseara ser considerada podría cuidar a mis niños pero principalmente para darme más trabajo insiste en decirme que necesita estudiar.

25. Regresamos a casa mis hijos la señora y yo luego llame a mi esposo por teléfono.

26. Ambas familias la de él y la mía se mantenían en constante comunicación conmigo.

27. Mis amistades me llamaban para informarse del estado de mi situación pues no se permitían visitas por orden del médico.

28. Yo le daba de comer y lo bañaba él no se podía levantar.

29. Juanita mi suegra les habló para que vinieran a verla.

30. Me quedé dormida de nuevo ni sentí cuando llegaron.

31. Me gustaría ser niño otra vez ya que cuando se es niño, uno no tiene de que preocuparse

32. Qué pronto se va la semana ya estamos a miercoles.

33. Pienso descansar ver un programa de televisión y tomarme unas dos cervezas.

34. Mi primo quiere que lo lleve de compras todos los días yo quisiera que hubiera venido durante el verano para prestarle más atención.

35. En mi trabajo hago varias actividades para entretener a los niños enseñar películas artesanía música juegos o ayudarlos en sus tareas.

36. Desayuné y me fui de compras al centro fui y compré unos cuadernos para la escuela.

37. Me puse muy contenta cuando lo vi charlamos un rato y después me trajo a la universidad.

38. Gracias a Dios que es viernes asi ya tendré dos días para descansar.

39. Me fui al centro con mis padres a cortarme el pelo y a hacer unas compras después me fui a mi casa.

40. A veces me pongo a regar el zacate luego me pongo a ver mis telenovelas y me duermo.

41. Hoy fue un día muy pesado en la oficina redactamos documentos mandamos correspondencia y entrevistamos a varios candiddatos.

42. En mis clases me dejaron mucha tarea pero no tengo ganas de hacerla.

43. Hoy tuve dos clases español e inglés.

44. Hoy es domingo día de levantarse tarde.

45. Hoy hubo cambio de trabajo fue como empezar de nuevo.

46. Este fin de semana no tuve muchas ganas de salir estaba muy cansada.

47. Es todo por hoy ya no puedo ni mantener los parpados abiertos.

II. Las siguientes oraciones tienen a veces la puntuación equivocada; a otras les falta puntuación.

1. Debo mejorarme más. Si voy a lograr mis objetivos en la vida.

2. Me gusta Mazatlán ahí donde el aire es fresco el agua clara y la gente amistosa.

3. Los estudiantes necesitan tomar cursos difíciles cursos donde sepan que se tiene que estudiar para obtener buenas calificaciones.

4. Cuando que salgo temprano del trabajo me siento con más energía.

5. Espero viajar por Europa. Y terminar mis viajes visitando los países al sur de los Estados Unidos.

6. He terminado la universidad con muy buenas calificaciones sin embargo no puedo obtener un trabajo.

7. Para mí lo mejor del verano es que el sol sale durante muchas horas no tengo que hacer más caminatas a clase o al trabajo en la oscuridad de la mañana.

8. El fútbol no me gusta prefiero el béisbol.

9. Mi abuelo fue un gran mariscal de campo mi padre también.

10. Me gustaría viajar a Nueva York. Pero no tengo dinero para el pasaje.

11. Yo no quiero formar parte de una pandilla sin embargo tengo que hacerlo para protegerme de otras.

12. Deseo comprar un auto no lo niego pero prefiero quedarme con este que ya está pagado de esta manera no tengo que preocuparme por hacer pagos mensuales.

13. Yo quisiera quedarme otro día de vacaciones por supuesto pero tengo que regresar a trabajar.

FIN DEL REPASO

REDACCION DE COMPOSICIONES

Lea las dos composiciones y corríjalas reescribiéndolas nuevamente. Haga todos los cambios necesarios de puntuación, acentuación (no hay acentos), vocabulario y estilo.

1. Que dificil es empezar otro año escolar en otra escuela con nuevos compañeros. Recuerdo que yo solo tenia doce años cuando mis padres dijieron que era mucho mejor que me fuera a estudiar a El Paso, Texas. Yo no queria ya que todos mis compañeros de primaria se irian a la secundaria juntos y mientras yo iba a estar en un lugar con gente nueva y en un idioma que yo desconocia.

El primer año escolar fue algo traumante ya que toda la clase era en ingles y yo solo hablaba español y todos juntos no nos sentiamos tan mal. Lo triste era cuando los demas compañeros se reian de nosotros por desgracia los niños nunca saben el daño que hacen al ser tan sinceros. Recuerdo que yo lloraba cuando me tocaba pararme frente a la clase a leer en ingles ya que los demas compañeros se reian inclusive los que tampoco sabian leer ingles. Mi mama me ayudo mucho ella me decia que el segundo idioma me iba a servir mucho en el futuro aunque para mi el futuro era el estar en esa escuela donde nadie me comprendia sin saber si algun dia regresaria a la escuela donde se encontraban todos mis amigos y amigas..

Nunca me senti inferior por ser hispana tal vez esto fue porque la mayoria de los estudiantes eramos hispanos y todos hablabamos de nuestras primarias y todo en español era fascinante hablar el español con los demas. Los maestros nos reprendian por hablar español en la escuela y tenian todo su derecho ya que ellos se esforzaban por enseñarnos el idioma ingles y nosotros mejor hablabamos español.

Despues de todos estos años aun sufro un poco ya que en mi casa yo hablo puro español pero no soy muy buena para escribirlo en el ingles estoy progresando. Espero llegar a dominar los dos idiomas algun dia.

2. La mayoria de los niños cuando empiezan atender a la escuela no saben que esperar hay ocasiones que hasta lloran cuando se apartan de sus padres. Cuando yo empece a ir a la escuela no sabia ingles porque como soy la hija mayor y mis padres no sabian hablar el ingles ellos no mo lo enseñaron. Recuerdo que mi mama me registro a ir a Pre-Kinder y la mayoria de niños tampoco sabian hablar ingles asi que nunca me senti incomoda al contrario a la escuela que atendi los maestros fueron pacientes y me ensenaron a dominar el lenguaje de hablar y escribir el ingles.

En la secundaria recuerdo que niños empezaron a entrar a la escuela y no sabian hablar ingles. Esos estudiantes tenian unas clases llamadas ESOL que es una clase que enseña el ingles de un basico nivel hasta dominarlo. Estos estudiantes leian con nosotros y nunca faltaba alguien que se burlara. Tal vez orque eramos niños y no entendiamos como habria de sentirse el estudiante que apenas empezaba a aprender ingles.

Creo que cuando una persona no sabe un idioma y esta con personas que si lo entienden se debe sentir extraño entre ellos. Lo positivo es que uno quiere aprender un nuevo idioma debe de tener ganas y luchar hasta saberlo. Nunca es tarde para aprender algo nuevo y practicarlo constantemente.

RESPUESTAS AL "REPASO DE PUNTUACION" Y OTROS EJERCICIOS

Ejercicio. Incluya las comas necesarias. No todas las oraciones necesitan. (Pág. 244)

1. Juan leyó muchísimos avisos acerca de los cigarrillos así que dejó de fumar.
2. Para descubrir la verdad, es necesario saber los hechos.
3. Aunque he vivido en México durante muchos años, no me he acostumbrado todavía a la gente de ahí.
4. Poniendo especial cuidado a los comentarios de Luisa, el siquiatra tomó cuidadosos apuntes en cada sesión.
5. Cuando la compañía compró las computadoras, nadie se imaginó que la producción aumentaría tanto.
6. El profesor se dio cuenta que en la lista de alumnos faltaban Ramírez, Hernández , Sánchez y Gómez.
7. Gabriel García Márquez ha escrito grandes novelas, pero Cien años de soledad es la más famosa.
8. El museo, el cual esta en la Calle Montana, está abierto de lunes a viernes.
9. Cuando me reciba, empezaré a trabajar en una maquiladora en Ciudad Juárez.
10. Mario Rendón, un conocido cantante, se presentará la próxima semana.
11. No tenía interés en leer Gringo viejo; sin embargo, decidí hacerlo.
12. El autor dijo, "Hay poco público pero escogido".
14. Raúl, el muchacho que estaba aquí cuando tú llegaste, es muy buena gente.
15. El libro que estoy leyendo, por cierto bastante largo, se llama Palinuro de México.

Ejercicio. Determine dónde deben llevar el punto y coma (;) y la coma (,) las oraciones. (Pág. 245)

1. Estuvimos en México únicamente durante el día; por lo tanto, no pudimos disfrutar del México de noche.
2. Al principio la idea de ir a Cuernavaca nos pareció ridícula; luego, alguien opinó que no era mala idea.
3. La lluvia estaba tan fuerte que no queríamos ir al cine; es más, ni siquiera queríamos salir a cerrar las ventanas del auto.
4. Yo estaba cansado de jugar; no obstante, decidí jugar de nuevo para ver si lo derrotaba.
5. Yo también quiero ir a la playa; por lo tanto, déjame terminar este trabajo y nos vamos.
6. El próximo verano estaré en Laredo, Texas; Santa Fe, Nuevo Mexico; Tucson, Arizona y San Diego, California.
7. Por un lado, no deseo ir a San Antonio; por otro, deseo ver a mi familia que vive en esa ciudad.
8. Juan, el muchacho que vive al lado, está asistiendo a una universidad en Chicago, Illinois.

Ejercicio. Determine si las siguientes oraciones deben llevar dos puntos y dónde. (Pág. 247)

1. Solamente podemos hacer una cosa: marcharnos lo antes posible.
2. Aquí está lo que necesitamos: arroz, tomate, tortillas y huevos.
3. Para ser un buen atleta es necesario correr, levantar pesas, practicar, llevar una buena dieta y acostarse temprano.
4. Yo no puedo ir al cine hoy porque tengo que estudiar, limpiar la casa y arreglar mi auto.

5. Quiero irme pronto, pero antes necesito hacer lo siguiente: apagar las luces y cerrar con llave.
6. Marcos es muy buen estudiante porque no sale de la bibilioteca.
7. Yo vivo en El Paso: La Ciudad del Sol.
8. Juan necesita los siguientes materiales: cuadernos, libros, una pluma y lápices.

REPASO DE PUNTUACION

I. Incluya (1) punto y coma, (2) coma, o (3) dos puntos en las oraciones que necesiten. Es posible usar distinta puntuación en una misma oración. (Pág. 248)

1. Nuestro sistema judicial necesita leyes más estrictas para los criminales adolescentes; las leyes actuales son inadecuadas.
2. La habilidad de los atletas es indiscutible; sin embargo, la drogadicción está destruyendo a muchos de ellos.
3. Cuando yo era chico, mi padre mencionaba constantemente al famoso cantante mexicano Jorge Negrete para animarme a que lo escuchara, pero a mí no me gustaba; yo prefería escuchar a los "Beatles".
4. Aunque no había suficientes estudiantes, el profesor dio principio a la clase.
5. Mi amigo, si verdaderamente lo fuera, podría venir por mí a las 7:00 para llevarme a la escuela; pero principalmente para hacerme esperar, insiste en recogerme hasta las 7:30.
6. Por un lado, yo necesitaba salir temprano; por otro, tenía que ayudarle al jefe.
7. Esta semana tuve una serie de complicaciones: María, la criada, no vino en toda la semana; a Juanita, mi sobrina, la despidieron de su trabajo; y a Lupita, mi hermana, la operaron.
8. En el auto iban Guillermo, su hijastro; Enriqueta, su hijastra; y Magdalena, su cuñada.
9. Todos estaban convencidos que el mal tiempo impediría que la serie de béisbol empezara a tiempo; sin embargo, todo salió bien.
10. Los jóvenes al cumplir dieciocho años, que es su mayoría de edad, pueden tomar la decisión de casarse sin el consentimiento de los padres.
11. Mientras que en otras épocas los jovenes debían obedecer a los padres ciegamente, hoy día, estas costumbres han cambiado.
12. Como resultado de que los padres acepten que sus hijos escojan a la compañera de su vida, la relación entre padres e hijos ha mejorado mucho.
13. A la novia o a la esposa se le puede mantener contenta regalándole un vestido, un perfume o un ramo de flores; en fin, alguna cosa que a ella le agrade.
14. Es bueno que la pareja se conozca bien antes de casarse; así en caso de que no tengan las mismas inclinaciones hacia el matrimonio, todavía habrá tiempo de romper el compromiso.
15. Por educación y cariño es obligación de los hijos informar a los padres de sus planes de matrimonio; de esta manera, quizás los padres les ayuden ya sea aconsejándolos o económicamente.
16. Aunque los gastos de la boda sean por cuenta de los padres, estos no tienen el derecho de escoger la pareja.
17. Los niños no son tan responsables como los adultos: los niños no tienen el grado de madurez que tiene un adulto; por ejemplo, un niño sabe que tiene hambre y que tiene que comer; pero no sabe cómo se obtiene o cómo se prepara la comida; él sólo sabe comérsela.

18. Los niños sienten temor hacia el payaso por su vestuario y por su cara: por su vestuario, porque el payaso usa los pantalones muy flojos y los zapatos demasiado grandes; por su cara, porque la pintura exagera sus rasgos haciéndolo aparecer diferente.
19. A los niños les gustan los payasos porque les hacen reír; sin embargo, no por ello dejan de tenerle miedo hasta tal punto que a veces huyen de él.
20. He aprendido muchísimo este semestre a pesar de que mis párrafos todavía contienen errores.
21. Existen individuos que se proponen alcanzar una meta aunque se tarden años para lograrla.
22. Los jóvenes son los que empiezan una nueva familia; por lo tanto, deben ser ellos quienes decidan cómo llevarán su nueva vida.
23. En una relación amorosa, es importante saber las creencias religiosas; de esta manera, en caso de que la pareja no tenga las mismas preferencias, habrá tiempo para llegar a un acuerdo o deshacer el compromiso.
24. Mi hermana, si deseara ser considerada podría cuidar a mis niños; pero, principalmente para darme más trabajo, insiste en decirme que necesita estudiar.
25. Regresamos a casa mis hijos, la señora y yo; luego llame a mi esposo por teléfono.
26. Ambas familias, la de él y la mía, se mantenían en constante comunicación conmigo.
27. Mis amistades me llamaban para informarse del estado de mi situación pues no se permitían visitas por orden del médico.
28. Yo le daba de comer y lo bañaba; él no se podía levantar.
29. Juanita, mi suegra, les habló para que vinieran a verla.
30. Me quedé dormida de nuevo; ni sentí cuando llegaron.
31. Me gustaría ser niño otra vez ya que cuando se es niño, uno no tiene de que preocuparse
32. Qué pronto se va la semana; ya estamos a miércoles.
33. Pienso descansar, ver un programa de televisión y tomarme unas dos cervezas.
34. Mi primo quiere que lo lleve de compras todos los días; yo quisiera que hubiera venido durante el verano para prestarle más atención.
35. En mi trabajo hago varias actividades para entretener a los niños: enseñar películas, artesanía, música, juegos o ayudarlos en sus tareas.
36. Desayuné, y me fui de compras al centro.
37. Me puse muy contenta cuando lo vi; charlamos un rato, y después me trajo a la universidad.
38. Gracias a Dios que es viernes; así ya tendré dos días para descansar.
39. Me fui al centro con mis padres a cortarme el pelo y a hacer unas compras; después me fui a mi casa.
40. A veces me pongo a regar el zacate; luego me pongo a ver mis telenovelas, y me duermo.
41. Hoy fue un día muy pesado en la oficina: redactamos documentos, mandamos corrrespondencia, y entrevistamos a varios candidatos.
42. En mis clases me dejaron mucha tarea, pero no tengo ganas de hacerla.
43. Hoy tuve dos clases: español e inglés.
44. Hoy es domingo; día de levantarse tarde.
45. Hoy hubo cambio de trabajo; fue como empezar de nuevo.
46. Este fin de semana no tuve muchas ganas de salir; estaba muy cansada.
47. Es todo por hoy; ya no puedo ni mantener los parpados abiertos.

II. Las siguientes oraciones a veces tienen la puntuación equivocada; a otras les falta puntuación. Corríjalas.

1. Debo mejorarme más si voy a lograr mis objetivos en la vida.
2. Me gusta Mazatlán; ahí donde el aire es fresco, el agua clara y la gente amistosa.
3. Los estudiantes necesitan tomar cursos difíciles; cursos donde sepan que se tiene que estudiar para obtener buenas calificaciones.
4. Ahora que salgo temprano del trabajo, me siento con más energía.
5. Espero viajar por Europa, y terminar mis viajes visitando los países al sur de los Estados Unidos.
6. He terminado la universidad con muy buenas calificaciones; sin embargo, no puedo obtener un trabajo.
7. Para mí lo mejor del verano es que el sol sale durante muchas horas. No tengo que hacer más caminatas a clase o al trabajo en la oscuridad de la mañana.
8. El fútbol no me gusta; prefiero el béisbol.
9. Mi abuelo fue un gran mariscal de campo; mi padre también.
10. Me gustaría viajar a Nueva York, pero no tengo dinero para el pasaje.
11. Yo no quiero formar parte de una pandilla; sin embargo, tengo que hacerlo para protegerme de otras.
12. Deseo comprar un auto, no lo niego, pero prefiero quedarme con este que ya está pagado; de esta manera, no tengo que preocuparme por hacer pagos mensuales.
13. Yo quisiera quedarme otro día de vacaciones, por supuesto, pero tengo que regresar a trabajar.

Diccionario Bilingüe

A

a través de - across, over
abogar - to advocate
acatar - to obey
acera - sidewalk
acertar - to hit, to guess, to get right
actual - present, present day, modern
afectiva - sensitive, affectionate
afinar - to refine, to polish, to tune
afinación - to tune up
agitar - to shake, to upset, to disturb
agobiar - to burden, to weigh down, to overwhelm
agobiador - tiring
agudizar - to sharpen, to worsen, to intensify
agudamente - acutely
ajeno - other people's, other's, unaware of irrelevant, detached
alienado - alienated, mentally ill, insane
alineación - alignment
almacenar - to store
ambos - both
amenazar - to threaten
ameritar - to merit
amortiguador - shock absorber
amortiguar - to muffle, to deaden, to subdue, to soften
amparo - protection, shelter, refuge
anfitriona - hostess
anhelar - to long for, to yearn for
añadir - to add
aplazar - to postpone
apoyar - to support, to back up, to lean
aprieto - difficult or awkard situation, to be in a bind or tight spot
ascendencia - descent, ancestry, origin
ascenso - promotion
aseverar - to assert, to affirm
asistir - to assist, to help, to be present
áspero - rough, tart, sour
atar - to tie
atender - to look after, to attend, to heed
avestruz - ostrich
azar - chance, at random

B

batería- battery
benévolo - kind
borlotear - slang for to make a racket
bujía - spark plug
buró - night stand

C

cabecera - headboard
cachorrito - puppy, cub, kitten
calcos - slang word for shoes
calefacción - heating
caló - slang
callejero - pertaining to the streets
camioneta - van
candado - lock
cangrejo - crabfish
capacitado - capable
capataz - foreman, overseer
carnalito - slang word for brother
carrera - career, race
centro - center, downtown
cliente - customer
como te caiga - sl. for however you like it
cómoda - chest of drawers
cómodo - comfortable
comportar - to behave
concertar - to plan, to arrange
conductor - driver
consigo - with him, with her
contabilidad - accounting
creciente - growing, increasing
cuadrilla - group, band, party
cubeta - bucket

D

dale gas - slang for right on
deambular - to stroll, to saunter
demandar - to demand

demanda - lawsuit
demorar - to delay, to put off
desahucio - eviction, ejection
desairar - to snub, to spurn
desarraigado - uprooted
desasosiego - uneasiness, anxiety, restlessnes
descargada - discharged
desempeñar - to carry out, to fulfill
desfile - parade
desgastar - to wear out
destreza - skill
disfrutar - to enjoy
disolución - dissolution, breaking up

E

ecuestre - equestrian
elocuencia - eloquence
embriagado - drunk
emparedado - sandwich
empresa - enterprise, management
emular - to emulate
encender - to light up
engreído - presumptuous, conceited, arrogant
entredicho - to be in question
entrenar - to train
equilibrio - balance
equitativa - equitable, fair
escalofrío - chill, shiver
escasez - shortage
escenario - stage, setting
estéreotipo - stereotype
estiércol - manure
ética - ethics, moral
exigir - to demand

F

fecundidad - fertility
fermentar - to ferment
fosa - grave
frecuentar - to frequent
frenos - brakes
fuente - fountain, source

G

gabardina - raincoat
ganadera - cattle-raising
gerente - manager
gestar - to develop, to grow
gratificar - to reward

H

halagador - flattering
herrar - to shoe, to brand
horcajadas - astride, astraddle

I

iletrado - illiterate
ingenuidad - naiveté
intestado - intestate, to die without a will
invertido - inverted
investida - invested
invierno - winter
involucramiento - involvement

J

jaina - slang for honey, girlfriend
juicio - judgement
jurado - jury
juzgado - judged, court

L

lacrimógeno - tear- producing
lejano - far away
litigio - lawsuit, litigation, dispute
llanura - plain

M

mancha - stain, spot
manifestación - demonstration
materia prima - raw material
mayoreo - wholesale
menudeo - retail
mimada - pampered, spoiled
modernidad - modernity, mainstream
moldear - to mold

N

nivel - level

nodriza - wet nurse, nanny

O

onda - wave
óptimo - optimum, very best
orador - orator, speaker
órale - slang for right on, watch out
ordinario - common
oriundos - native, indigenous
oso hormiguero - anteater
Ote. (oriente) - east
otoño - fall
otorgar - to grant

P

pariente - relative
parloteo - gossip, small talk, chatter
patron - pattern, master, boss
pavimento - pavement
peaton - pedestrian
peinador - hairdresser, dressing table
percatar - to be aware
pereza - laziness
permeabilizada - permeacbility, able to be penetrated
pertenencia - belonging
pionero - pioneer
plaza- square,
propósito - purpose
Pte. (poniente) - west
purista - purist

R

rabo - tail
ranfla - slang for car
reclamar - to claim, to demand
rechazado - rejected
relegado - relegated
remolque - towing, towrope
renovable - renewable
repartido - shared, apportioned
retractarse - to retract, to withdraw

S

sabiduría - wisdom
simón - slang for yes
solvente - solvent, able to pay debts
sonorense - native of Sonora, Mexico
soñolienta - sleepy
suceso - event, happening, occurrence
surgir- to come out, to spout up

T

tachar - to cross, to label
taller - workshop
tarea - task, job
toriquear - slang for to talk, to convince
transitada - travelled

U

ubicar - to place

V

verano - summer
vestíbulo - vestibule, lobby